KB089325

기적을 가져오는
6차산업

송기석 지음

예감

머리말

우리나라 농업의 발전은 1978년부터 쌀자급을 달성하고 새로운 전환기를 맞이하였다. 생산력 제고를 위해 토양의 질을 높이고, 농업기술보급을 통한 생산력을 향상하고, 나아가 농촌 발전을 위한 지원 등 정부의 지속적인 정책을 통해 발전을 진행하고 있다.

그러나 1986년 우루과이에서의 관세 및 무역에 관한 일반협정, 1995년 세계무역기구 출범, 2012년 한·미 FTA 발효 등으로 저렴한 외국 농산물이 수입됨에 따라 농촌의 경쟁력이 떨어지고 있다.

이러한 와중에 우리의 현실은 농촌인구 감소와 산업화 및 도시화의 진행은 농촌의 이촌향도 현상과 고령화가 심해지고 있고, 도농간의 소득격차, 소득감소로 농촌의 활력이 떨어지고 있다.

이러한 대내외적 위협에 놓인 농촌은 새로운 생존전략이 필요하게 되었다. 특히 인구의 감소와 고령화 등의 문제를 안고 있는 농어촌 지역에 새로운 소득원을 개발하여 산업 간 그리고 지역 간의 불균형을 해결하기 위한 방안으로 6차산업을 도입하였다.

6차산업은 이러한 현실 속에서 기존에 농산물 생산이 중심이 되는 1차산업에서, 농산물 가공이나 식품 개발 등 제조 가공을 하는 2차산업, 나아가 로컬푸드, 관광체험, 교육서비스 등의 3차산업으로 확장하여 안정적인 고소득을 높이려는 것이다.

이 책은 6차산업화의 현황과 성공사례를 통해 6차산업화의 발전방향을 모색하고자 한다. 6차산업으로 모든 농촌이 지역경제를 활성화하여 소득증대에 도움이 되었으면 한다.

송기석 드림

차 례

제1부

6차산업이란?

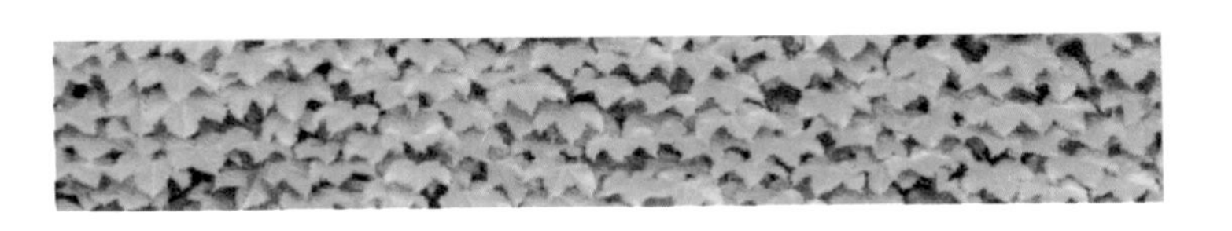

6차산업의 정의

6차산업은 원래 1차산업인 농림수산업과 2차산업인 제조·가공업, 그리고 3차산업인 서비스업을 융·복합화로 결합시킨 산업을 일컫는다.

농촌의 유무형 자원을 활용한 제조·가공의 2차산업과, 체험·관광 등의 서비스 3차산업의 융·복합을 통해 새로운 부가가치와 지역의 일자리를 창출함으로써 지역경제 활성화를 촉진하는 활동을 말하기도 한다.

농업의 6차산업화는 2014년 '농촌 융·복합산업 육성 및 지원에 관한 법률'을 제정함으로써 농정의 핵심과제로 본격 추진되어 왔다.

6차산업화는 농산물 생산(1차)만 하던 농가가 고부가가치 제품을 가공(2차)하고, 나아가 향토 자원을 활용한 농장 체험 프로그램 등 서비스업(3차)으로 확대하면 더 높은 부가가치를 올릴 수 있게 된다. 즉 1차산업× 2차산업× 3차산업=6차산업을 말한다.

<표 1-1> 6차산업

구분	내용
1차산업	농산물, 임산물, 수산물, 특산물 생산 등 기타 유무형 자원
2차산업	식품 제조, 가공
3차산업	유통, 관광, 축제, 체험학습, 외식, 숙박, 컨벤션, 치유, 교육 등 서비스

이때 농업·농촌이 제외된 6차산업형은 성립되

지 않는다(0×2×3=0). 그리고 농업의 생산, 가공, 서비스의 단순한 집합이 아니라(1차+2차+3차≠6차산업), 이들 산업이 상호 보완적으로 연계되고, 유기적·종합적인 융합(1차×2차×3차=6차산업)이어야 한다.

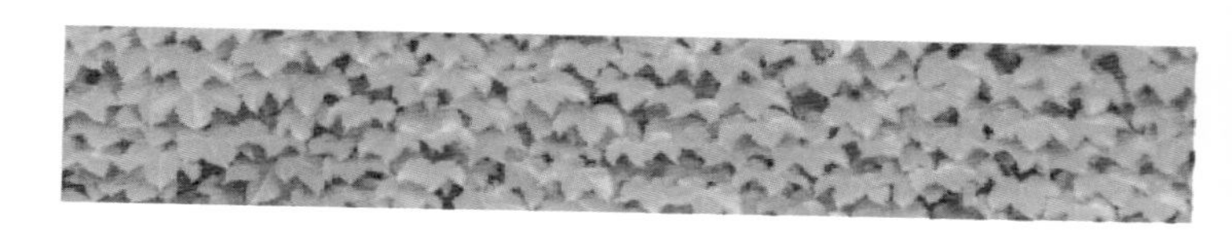

6차산업의 특징

6차산업의 특징을 보면 다음과 같다.

1) 지역농업 지향적

6차산업이란 도시가 아닌, 농촌이라는 지역에서 농업을 기반으로 하는 사업을 말한다. 즉 1차산업의 생산물 없이는 6차산업이 될 수 없다.

농업생산물의 단순 생산이 아니라, 가공제조에서 체험교육 서비스 유통판매까지 확장하는 개념으로 농촌융·복합 산업이다.

2) 소비자 및 시장지향적

지금까지 농촌의 생산물은 생산자 입장에서 선택하였지만, 6차산업에서는 소비자가 원하는 생산물, 시장에서 요구하는 생산물을 만든다는 차이가 있다. 또한 기존의 농산물을 생산하여 공판장에 파는 것이 아니라 직접 시장을 개척하고, 소비자를 찾는 적극적인 영업이 필요한 산업이다.

3) 협업체계 구축

1차산업은 농민이 담당할 수 있지만, 2차산업은 제조·가공이 가능한 농협이나, 영농법인이 필요하며, 3차산업은 유통판매, 체험관광, 서비스 등을 제공해야 하기 때문에 전문가 필요하다. 따라서 6차산업이 성공하기 위해서는 농민과 농협, 영농법인, 지자체, 마케팅 전문가, 체험관광 전문가의 협업이 필요하다.

4) 경영·관리 역량

1차산업에서의 농민이 열심히 일만하면 되지만 2차산업이나 3차산업이 성공하기 위해서는 전문적인 경영·관리 능력을 갖추어야 한다. 농산물의 품질만 좋아서는 성공하기 어렵고, 농산물을 잘 팔 수 있는 전문적인 경영·관리 역량이 높아야만 판매가 많아지고, 고수익을 보장할 수 있다.

5) ICT·BT융합

ICT·BT융합은 정보통신기술(ICT)과 바이오기술(BT)을 합친 것이다. 과거 농업은 노동집약적인 산업으로 인식되고, 낮은 소득, 힘든 노동 및 불리한 정주 여건으로 인적·물적 자원이 유출하고 있다. 따라서 정부는 ICT·BT융합을 통해 농업을 미래 핵심산업으로 육성하고자 한다.

농업은 ICT·BT융합 기술은 타 산업보다 아직 초보적인 단계에 머물러 있지만, 최근 가장 활발한 연구개발이 추진되는 분야가 스마트팜(smart farm)이다. 스마트팜은 온실의 환경과 작물의 생육상태에 대한 실시간 센싱 정보를 기반으로 최적의 환경조건 유지 및 양액 제어를 통해 작물의 생산성 및 품질을 향상하고자 하는 ICT·BT융합 기술이다.

6) 차별화

6차산업이 성공하기 위해서는, 기존의 생산방법에만 의존하기보다는 기술의 변화에 맞게 생산단계부터 신기술 도입을 통한 질의 고급화와 차별화가 필요하다. 2차산업이나 3차산업에서도 남들이 하지 않는 제품을 생산하거나 체험 프로그램을 통해서 차별화가 되어야 한다. 남들과 같은 생산물, 가공, 서비스를 제공한다면 결코 소비나 관광객의 방문을 기대하기 어렵다. 남들과 무엇인가 다를 때 소비나 관광객의 증가를 기대할 수 있다.

6차산업의 배경

우리나라에서는 농업은 우리 경제의 새로운 미래 성장산업이다. 정부는 농식품 산업에 새로운 부가가치와 일자리를 창출하기 위해 6차산업화를 추진하고 있다.

6차산업이 등장하게 된 배경에는 과거 농어업생산(1차산업)을 중심으로 한 산업 편중 상태에서 2, 3차산업이 성립되면서 농업의 쇠퇴는 불을 보듯 뻔한 미래가 되었다. 농업의 쇠퇴는 지역경제의 쇠퇴를 초래할 수밖에 없기 때문에 농촌을 탈출하려는 인구의 증가로 지역의 위기 극복을 위한 대안으로 6차산업화가 등장하였다.

6차산업이란 단어를 처음 사용한 것은 1988년 일본의 이마무라 나라오미(今村奈良臣) 동경대학 농업경제학 교수가 "농업이 1차산업에만 머물지 말고, 2차산업(농축산물의 가공식품 제조)과 3차산업(도소매·정보서비스·체험관광 등)에까지 영역을 확장함으로써 농촌에 새로운 가치를 불러일으키고, 고령자나 여성도 새로운 취업 기회를 스스로 창출하는 사업과 활동"이라고 정의 내려 6차산업의 주창자로 알려졌다.

우리나라에서는 6차산업의 일환으로 2002년부터 농촌의 농외소득 증대를 위하여 '녹색농촌체험마을'을 선정하여 농촌관광 활성화를 위해 각종 지원을 하고 있다.

2004년에는 국가균형발전특별법을 제정하여 국가적인 차원에서 불균형 성장발전을 해소시키고키 위하여, 6차산업이 추구하는 향토자원 육성, 농촌관광 사업, 인재육성, 주민 삶의 질 향상을 위한 신활력사업 정책을 시행하게 되었다.

2005년부터 시작된 신활력사업의 큰 프레임으로서 6차산업이 본격 논의되었다.

2007년 6월부터 제주도는 유네스코 세계자연유산에 등록하고 '6차산업 육성'에 적극적인 노력을 기울여 세계적인 관광지로 만들어 놀라운 성과를 보여주기도 하였다.

2009년에 민주당에서는 6차산업 추진을 주요공약으로 집어넣으면서 주목을 받게 되었다.

2010년 12월에 지역자원을 활용한 농림어업자 등의 신사업 창출 및 지역 농림수산물의 이용촉진에 관한 법률이 공포되었다. 2011년 3월부터 관련 시책이 시행되었다. 이 시책의 주요내용은 농림어업자의 가공·판매사업으로의 진출 등 6차산업화에 관련된 시책과 지역 농림수산물 이용을 촉진시키기 위한 지산지소법 등에 관련된 시책을 종합적으로 추진하기 위한 것이다.

2011년 정책 사업의 초기에 중앙정부의 위탁

사업으로 민간조직을 원칙으로 6차산업화 서포트센터를 공모·설치하도록 했다. 그 결과 각 현별로 농업진흥공사, 중소기업진단사회, 농업단체, 상공회 단체, 상공업 관련의 민간 컨설팅회사 등 사업 주체 기관이 다양하게 설립되었다.

2014년 6월 농업의 6차산업화 법이라 불리는 '농촌 융·복합 산업 육성 및 지원에 관한 법률'이 국회 본회의를 통과하고 정부와 농협은 6차산업화 지원 협의체를 각 도별로 구성했다. 이로 인하여 각 도의 여러 농어촌 지역에서 성공적으로 사업을 일구어 나가면서 전국적으로 개인, 법인, 단위, 지자체들의 성공적인 사례가 많이 생겨났다.

2017년에는 정부가 매출 100억원 이상할 수 있는 6차산업 주체 1천개를 육성하고, 매년 고령 농민과 여성 농민 일자리를 5천개 이상 창출하여 4.6% 수준인 농외소득 연평균 증가율을 7.5%까지 상승시킨다는 구체적인 정책을 발표

하였다.

<표 1-2> 우리나라 6차산업의 변화 특징

구분 / 내용	초기 (2000년대 초)	도입기	성장기	성숙기
주요사업	농촌 체험관광	신활력사업	향토산업	복합산업화
특징	지역자원을 활용한 다양한 사업의 가능성 보여 줌	향토 자원 및 지역의 상향식 개발에 의한 인식 시작	사업 다각화 외연 확장	지역 특성에 맞는 모델 개발, 수익의 농가 환원
반성		사업 간·주체간 연계가 미흡한 1차산업, 2차산업, 3차산업 별도 추진	가공 사업 위주의 사업, 농업인과의 연계 미약, 사업의 지속 가능성 불투명	
사업주체단위	마을 단위의 사업	지방자치단체 단위		마을, 기업, 지역 단위 등 다양

자료 :서윤정(2013). 6차산업 융·복합 혁명. HNCOM

우리나라에서 6차산업이 본격적으로 거론이 된 것은 2005년부터이며, 초기에는 농촌 체험관광으로 시작하다, 신활력사업, 향토산업을 거쳐 지금은 융·복합산업으로 자리를 잡았다.

현재 우리나라에서 6차산업 사업자로 인증받은 경영체는 1,492개가 있으며, 농협의 자료에 따르면 6차산업에 종사하는 농민이 5만3000명에 이른다고 한다.

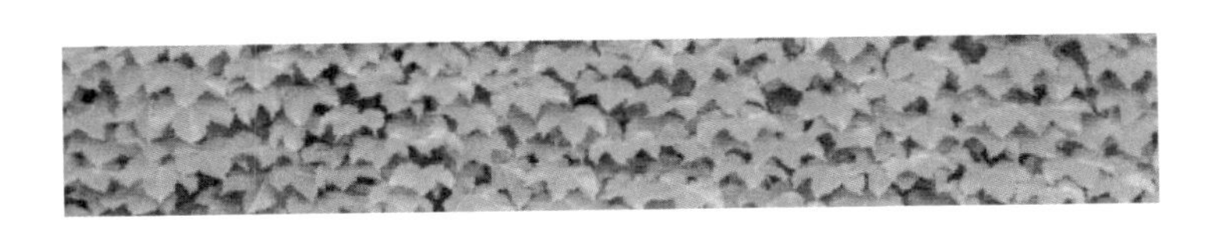

6차산업의 유형

6차산업은 유형은 크게 중심산업, 주진 주체로 나눌 수 있다. 그리고 그에 따른 세부 유형은 다음과 같다.

1) 사업에 따른 구분

6차산업 경영체는 생산을 기반으로 하여 2차 3차산업의 선순환 구조로서 복합적인 사업영역 중에서 부가가치의 창출을 주도하거나 주된 매출액을 달성하는 중심사업의 내용에 따라 생산중심형, 가공중심형, 유통중심형, 관광·체험중심형, 외식중심형, 치유중심형 등 6개 유형으로 구분할 수 있다.

<표 1-3> 사업내용에 따른 구분

구분	신생 직업
생산중심형	- 생산이 핵심이고 가공·서비스는 부가사업 - 2·3차를 통한 생산부문 활성화가 중요 * 홍성 문당리 친환경농업마을
가공중심형	- 소비자 요구를 반영한 가공상품 개발이 핵심 - 인터넷, 위탁판매 등 다양한 판로 확보 * 충남 서천 달고개모시마을
유통중심형	- 생산·유통의 공간적 연계시스템 구축 - 로컬푸드 직판장 등 매장운영 역량 * 완주 용진농협 로컬푸드 직매장
관광·체험형	- 생산·가공과정에 소비자 참여가 핵심 - 지역 내 다양한 유·무형 자원의 연계 * 전북 임실치즈마을

외식중심형	- 생산·가공·외식이 동시에 이루어짐 - 식재료, 진정성, 맛의 스토리텔링화 * 태백 창죽 테마 영농조합
치유중심형	- 기능성 및 약용 농산물 재배 및 가치연계 - 원예, 심신치료 등 관련 전문성 강화 * 인천 강화 아르미애월드

출처 : 농촌진흥청(2014), 6차산업 유형별 사업매뉴얼

2) 중심산업에 따른 구분

6차산업 경영체의 가장 중심이 되는 산업 유형에 따라 1차산업 중심, 2차산업 중심, 3차산업 중심으로 구분할 수 있다.

세분화하면 1·3차 융·복합형, 2·3차 융·복합형, 1·2차 융·복합형, 명품·명인·명소형 등을 추가하여 구분할 수 있다.

<표 1-4> 중심산업에 따른 구분

구분	신생 직업
1차산업중심으로 2·3차산업 견인	양구(산채, 가공식품, 체험관광) 괴산(토종 산삼, 가공, 체험관광) 신안(천일염, 가공, 체험관광) 의성(참외, 부산물 재활용, 체험관광)
1·2차 융·복합유형	서천(김, 명품김, 김가공) 함안(수박, 명품수박) 김제(총체보리, 한우) 영천(약초, 한방산업
1·3차 융·복합유형	평창(친환경농산물+Happy 브랜드) 화천(유기농, 축제, 체험관광) 단양(친환경농산물, 단고을브랜드) 공주(친환경농산물, 체험관광)
3차산업중심으로 1·2차산업 견인	인제(농업, 레포츠, 인재양성) 영동(포도, 와인, 와인트레인, 국악) 증평(인삼, 가공식품, 인삼체험관광) 부여(밤, 가공품, 굿뜨래브랜드)
2차산업중심으로	연천(콩, 장류산업, 체험관광)

1·3차산업 견인	순창(콩·고추, 발효식품, 체험관광) 고창(복분자, 가공식품, 체험관광) 부안(오디·뽕, 가공식품, 체험관광)
2·3차 융·복합유형	홍성(토굴햄, 체험관광) 담양(대나무, 경관, 체험관광) 울릉(해양심층수, 관광)

출처 : 농촌진흥청(2014), 6차산업 유형별 사업매뉴얼

3) 추진 주체에 따른 구분

농업의 6차산업형을 추진하는 활동 주체는 전업농가, 여성농업인, 고령농업인, 지자체·농협 등으로 구분할 수 있다.

이러한 추진 주체의 특성에 따라서 6차산업형을 다음과 같이 분류할 수 있다.

① 생산자 주도형

전업농가나 젊은 영농 후계자 중심으로 진행하는 유형을 말한다. 이 유형은 농업진흥을 기

준으로 하면서 판매전략의 필연적인 전개에 의해 소비자 교류와 도시농촌교류에 노력한 결과 6차산업화를 달성한다.

② 여성·고령자 주도형

농가 여성그룹이나 고령자 등 농업에 매진하지 않는 사람들을 중심으로 진행하는 유형을 말한다. 농산물 직매소 등의 설치를 계기로 농산물 가공이나 지역 식재를 사용한 식당이나 농가민박 등의 활동으로 발전한다.

③ 지자체·농협 주도형

지자체나 농협에서 주도적으로 추진하는 유형을 말한다. 이 유형은 지자체나 농협이 가진 인프라를 최대한 이용하여, 지자체의 경우에는 행정적인 지원과 체계적인 컨설팅이 이루어지고, 농협의 경우에는 농협이 가지고 있는 다양한 인프라를 이용해서 성공에 이른다.

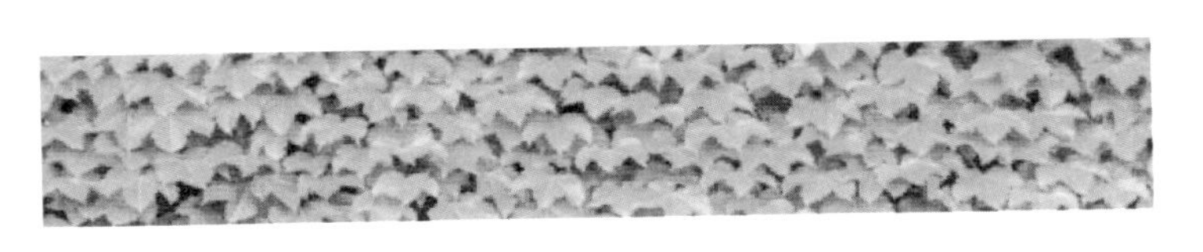

6차산업자 인증제도

농림축산식품부는 2014년에 제정한 농촌 융복합산업 육성 및 지원에 관한 법률에 근거하여 6차산업으로 성장가능성이 있는 농업인, 농업법인 등 경영체를 농촌 융·복합산업 사업자로 육성하고자 6차산업자 인증제도를 도입, 운영하고 있다. 6차산업자 인증제도의 주요골자는 농업의 6차산업화 확산을 통한 미래성장산업으로 육성을 비전으로 인증사업자의 매출액 매년 8% 이상 증가를 목표로 사업자에 대한 체계적 지원과 관리를 추진하기 위한 것이다.

6차산업자 인증을 받기 위해서는 6차산업화 경영체 중 수시로 사업계획서를 작성하여 관할 지역 내 6차산업화 지원센터에 제출하여야 한다. 접수된 서류를 바탕으로 전문가로 구성된 평가단이 자격요건, 사업계획서 등을 종합적으로 평가하여 선정한다. 6차산업 지원센터에서 선정한 결과를 시·도에 제출하고, 시·도에서 최종 검토 후 농식품부로 제출하여 '농촌융합산업 사업자 인증서' 가 발급된다.

인증 기간은 인증을 받은 날로부터 3년간 유효이며, 3년마다 자격요건을 검증한다. 만약 유효기간 내에 사업 계획이 변경되거나 유효기간이 끝난 후 계속해서 인증을 유지하고자 할 경우 인증 갱신신청을 한다.

자격요건은 농업인, 농업법인, 농업관련 생산자단체, 소상공인, 사회적 기업, 협동조합 및 사회적 협동조합, 중소기업, 1인 창조기업 등이 지원 가능하다.

선정된 사업자가 받을 수 있는 혜택은 다음과

같다.

① 지원사업 선정 시 우대 및 가점이 부여된다.

② 6차산업화 융자자금, 전문펀드 조성 등을 통해 사업자금의 지원을 받을 수 있다.

③ 신제품 개발, 사업화 등에 대한 컨설팅지원 및 농산물종합가공센터를 통해 신제품 생산, 보육교육 등의 지원을 받을 수 있다.

④ 유통·판로에 관하여 소비자 판촉전, 유통전문가 초청 품평회, 유통패널 입점, 수출 컨설팅 등을 통해 판매확대 지원을 받을 수 있다.

⑤ 6차산업 우수제품 및 성공사례 홍보물을 제작 및 배포, 6차산업화공식사이트(www.6차산업com)를 통해 정보제공 및 홍보된다.

⑥ 인증사업자의 사업장 및 제품에 '6차산업 BI' 및 '6차산업 제품BI' 표시를 할 수 있다.

⑦ 향토음식육성사업, 농촌지원복합산업화사업

등 6차산업 관련지원사업에 인증사업자 참여시 우대를 받을 수 있으며, 6차산업화 경영실적이 높고, 사업계획의 목표를 달성한 사업자는 우수 사업자로 선정되어 포상의 기회가 주어진다.

2019년 7월 현재 <표 1-5>와 같이 1,492 개의 경영체가 등록되어 있다.

<표 1-5> 전국 6차산업 사업자 인증 현황

년도	경기	강원	충북	충남	전북	전남	경북	경남	제주	대전	세종	인천	울산	대구	광주	계
2014	50	34	31	27	60	57	51	37	24	4	2	1	1	0	0	379
2017	136	131	102	94	184	174	142	116	73	4	16	10	4	2	1	1,188
2019	167	148	102	156	238	214	184	136	98	0	22	16	7	2	2	1,492

자료: 6차산업 홈페이지

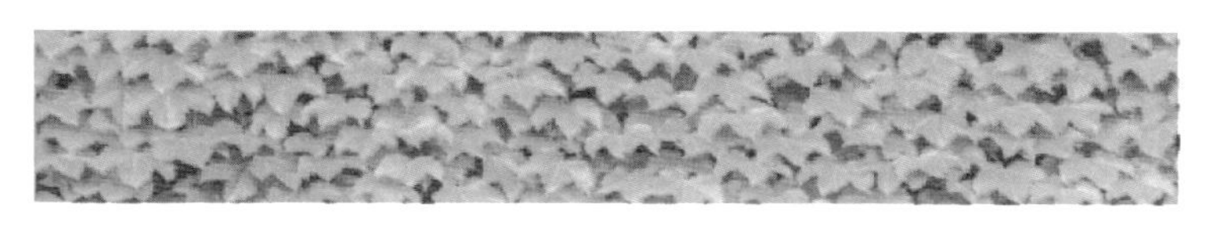

6차산업화의 기본 원리

6차산업화를 성공적으로 운영하려면 기본원리에 충실해야 한다. 기본원리를 보면 다음과 같다.

1) 공동사업화

6차산업화에서 가장 중요한 원리는 공동사업화다. "혼자 하면 빨리할 수는 있지만, 같이하면 오래할 수 있다"는 말이 있다. 특히 6차산업화에서는 혼자하기 어려운 일을 힘을 합해서 공동으로 하여 효율성을 높이는 것이다.

예를 들면 원료 구매, 재배, 생산, 마케팅, 영

업, 판매, 서비스 제공 등을 공동으로 하게 되면 생산비를 줄이거나 효율성이 높아지게 되어 원가를 절감하게 되고, 수익률이 높아진다.

공동 활동을 통하여 어느 정도 안정적인 단계로 진입하여 전문적인 경영이 필요할 때는 일부를 분리시켜 산하기관으로 두거나, 업무를 자신의 적성에 맞도록 분업화, 전문화시키면 규모의 효과를 얻을 수 있다.

2) 사업 다각화

하나의 자원을 하나의 사업에만 활용하는 것이 아니라, 여러 가지 사업에 다양하게 활용하는 것이 수입을 증대하게 된다.

예를 들어 생산된 농산물을 판매만 할 것이 아니라 농가식당을 만들어 식자재로 활용하여 음식을 팔면 훨씬 소득이 많아지게 된다. 그리고체험 프로그램을 운영하여, 찾아온 고객들에게 농촌 체험관광, 직매장, 농가 민박 등을 운영하는 것이다.

이처럼 1차, 2차, 3차산업이 상호 연계할 수 있도록, 생산물을 다각적으로 활용하는 것이 6차산업의 목적이다.

3) 생산물의 차별화

6차산업화가 성공하기 위해서는 먼저 1차산업으로 생산된 농산물의 질이 아주 좋거나 다른 지역보다 차별화가 있어야 한다.

예를 들어 유기농으로 생산된 농산물, 인삼을 먹고 자란 토종닭, 황토에서 키운 닭에게서 생산된 달걀, 한라산의 맑은 물로 만든 삼다수와 같이 기존의 생산된 농산물보다는 무엇인가 특이하거나, 질이 좋아야 홍보 효과가 높아지고 판매가 증가하게 된다.

4) 스토리텔링

생산물에 대해서 이야기를 만들어 가치를 높이면 똑같은 농산물이라도 높은 가격에 판매되어 수입을 증가시킬 수 있다.

예를 들어 주변에서 흔히 볼 수 있는 농산물을 이용하여 스토리텔링을 통하여 일반식품, 의약용, 보신용, 화장용, 기능성 등 다양한 상품으로 만들 수 있다. 이처럼 기존에 생산하고 있던 생산물에 대해서 이야기를 만들어 붙이면 소비자들의 감성을 자극하여 소비를 높일 수 있다.

5) 고객만족

똑같은 농산물이라도 고객을 감동할 수 있는 서비스를 제공하는 제품에 대해서는 재구매가 이루어지고, 구매량이 증가하게 된다.

예를 들어서 직매장에 갔는데 판매직원이 감동적인 서비스나 응대를 하면 인상에 남게 되고, 재구매로 연결될 수 있다. 그리고 입소문이 나서 성공하게 된다.

따라서 6차산업화를 성공하기 위해서는 참여하는 모든 농가들의 서비스의식을 고양시키고, 고객 응대 요령을 생활화해야 한다.

6) 지역의 장점 부각

6차산업화가 성공하기 위해서는 상품에 그 지역의 장점을 최대한 부각시켜야 한다.

예를 들어 안동 간고등어와 같이 그 지역의 전통이 깊은 역사적 사실이 있다면 그것을 바탕으로 상품의 가치를 높이는 것도 상품의 가치를 높인다.

7) 폐기물 최소화

농산물은 손실되는 것이 많으며, 상품을 가공하는 과정에서 많은 폐기물이 발생하게 된다. 이러한 폐기물을 그냥 버리기보다는 효과적으로 활용하는 것이 비용을 줄이고, 수익을 높일 수 있게 된다. 그리고 환경을 보호하여 일석삼조의 효과를 얻을 수 있다.

예를 들어 농장에서 나온 폐기물을 가지고 비료를 만들어서 유기농 농법에 사용하기도 하고, 에너지원으로 재활용할 수 있다.

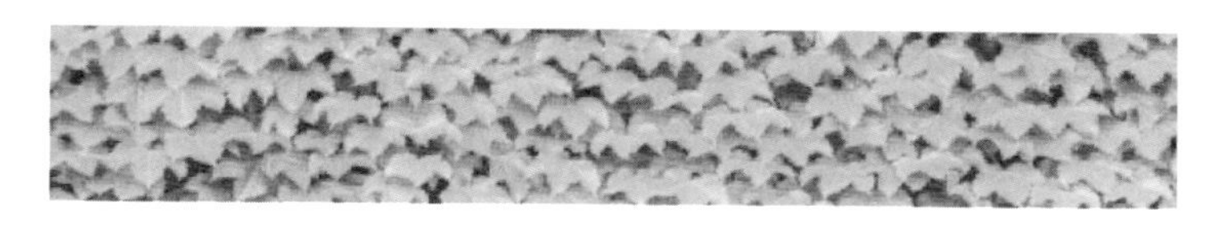

6차산업 관련 지원사업

우리나라에서는 6차산업화를 활성화하기 위해서 정부 부처들이 다양한 지원사업을 진행하고 있다.

가장 많은 지원사업을 하는 부서는 농림축산식품부이며, 이외에도 산림청, 농촌진흥청, 한국농산물 유통공사, 한국 농어촌 공사 등에서도 지원사업을 추진하고 있다.

주요사업의 내용을 정리하면 다음 <표 1-6>과 같다.

<표 1-6> 한국 6차산업화 관련 지원사업

구분	지원 내용	담당부서
임산물유통지원	국고, 지방 보조금 지원	산림청
산촌미리살아보기시범사업	사업계획에 따른 지원	
유아·청소년을 위한 산림교육시설조정	유아숲 체험원 조성 및 등록	
지역전략식품산업육성사업	브랜드 개발 및 관리, 홍보 마케팅	농림축산 식품부
향토산업육성사업	제품판매시설 및 체험시설 구축, 기술개발, 홍보 마케팅, 브랜드 개발	
농촌지원복합산업화 지원사업	농촌자원의 생산·유통·제조·체험·전시기반 구축	
기능성 양잠산물 종합 단지 조성사업	전시·판매·체험 시설정비	
농촌관광 휴양자원 개발사업-관광농원	시설설치 등 관광농원 운영 자금	
농어촌관광휴양자원개발사업-농어촌민박	시설자금, 개수·보수자금, 개축비용	
농어촌체험·	시설신축, 체험 프로그램 개발, 개	

휴양마을사업	보수, 경관 조성 등	
지역농업특성화산업	특화품목육성, 지역협의회 구성운영, 컨설팅	농촌진흥청
농업인 소규모 창업기술 시범사업	기반조성,컨설팅,우수지역벤치마킹	
향토음식지원화(농가맛집)시범사업	컨설팅, 위생교육, 판매촉진, 홈페이지운영, 지속적 개발지원	
농촌교육농장	학교교육 연계, 교재제작, 장비설치, 컨설팅	
농산물산지유통시설 지원사업	집화·선별·포장·출하를 위한 시설정비, 마케팅	한국농산물유통공사
도농교류협력사업	농촌체험활동 관련 글짓기대회, 식생활교육 운영위한 지원금	한국농어촌공사
관광열차연계 전통식품 체험여행	체험객 이동 교통비 및 체험비용 일부 지원	
찾아가는 양조장	80%까지 지원	
농촌체험관광 정보제공	대형포털 및 콘텐츠사 정보연계 등 마케팅 지원	

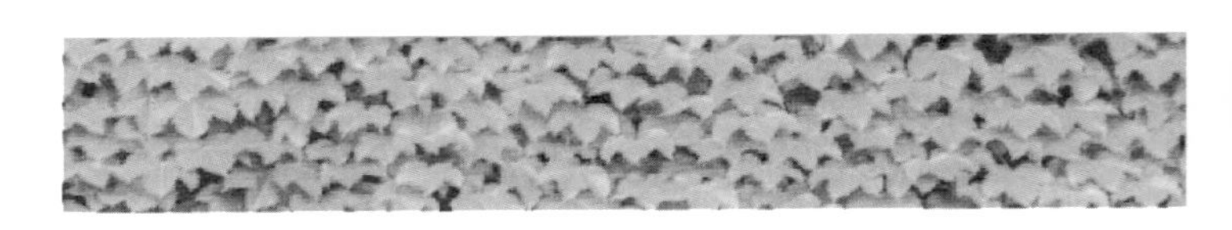

6차산업화의 평가 방법

6차산업이 성공하기 위해서는 평가가 필요하다. 평가를 통해서 사업의 목표에 도달했는지를 확인할 수도 있지만, 부족한 부분을 보완하여 성공에 도달할 수 있는 근거를 주기 때문이다.

일반적으로 사업 평가는 매출액이나 수익률 등 경제적 측면에서의 평가를 하지만, 6차산업화에서는 지역사회의 과제 해결, 주민참여 유도, 지역자원 관리 등 사회적 측면에서의 평가 등이 포함되어야 한다.

6차산업이 성공하기 위해서는 다음과 같은 평가척도를 가지고 해야 한다.

1) 계획의 충실도

6차산업화가 성공하기 위해서는 사업 계획을 수립하는 과정에서 철저한 준비와 계획수립이 필요하다. 사업 계획을 수립하기 위해서는 지역의 공통과제를 파악한 후 비전을 제시하고, 이를 실현하기 위한 전략을 객관적이고 지역 실정에 맞게 설정되어야 한다.

따라서 계획의 충실도에서는 지역 과제에 대한 정확한 인지, 사업 목표의 명확도, SWOT분석, 사업 전략의 적절성, 법인화 여부를 평가해야 한다.

2) 참여도

6차산업화는 지역주민의 자발적인 참여가 중요하기 때문에 사업에 참여하는 참여자의 참여도가 사업의 지속성 유지와 성공의 중요한 척도가 된다.

따라서 사업에 참여하는 참여자 수와 참여비율, 참여자의 적극성, 고령자 참가율, 여성 참가율 등을 평가해야 한다.

3) 지역자원의 활용도

지역자원은 사업이 성공하기 위해서 필요한 재화나 용역을 말한다. 지역에 존재하는 자원으로는 인력, 생산품, 사업 자금 조달, 지역의 자연자원, 시설자원, 유휴시설, 지역의 전통문화, 하려는 사업에 대한 정보 등이 있다. 이들 중에는 현재 활용되는 것도 있고, 나중에 사용할 잠재적 자원도 있다. 이러한 자원들이 가진 장점을 발굴하여 조합함으로써 새로운 지역 가치를 창출할 수 있다.

따라서 인력의 질, 생산품의 질, 사업자금 조

달 능력, 지역의 자연자원 활용, 시설자원 활용, 유휴시설 활용, 지역의 전통문화 활용, 하려는 사업에 대한 정보의 습득량을 평가해야 한다.

4) 경영 성과

아무리 좋은 상품과 좋은 자원들이 있다고 해도 경영을 잘못하면 실패할 수밖에 없다. 따라서 6차산업화가 성공하기 위해서는 추진하는 사업에 대한 경영 성과를 평가해야 한다.

경영 성과에 대해서는 일정한 기간이 지난 시점에서 정한 목표에 얼마나 도달했는지, 수익은 얼마나 발생했는지, 참여자들의 만족하는 일자리가 얼마나 생겼는지를 평가한다.

5) 지역주민과 참여자의 만족도

아무리 사업이 잘 진행되고 있다고 해도 지역

주민과 참여자의 만족도가 낮다면 사업을 수정해야 한다.

따라서 6차산업화가 성공하기 위해서는 지역주민들과 참여자들의 사업에 대한 만족도를 평가하고, 사업 전보다 지역주민의 만족도와 공동체 의식이 함양 정도를 평가해야 한다.

제2부

6차산업의 필요성

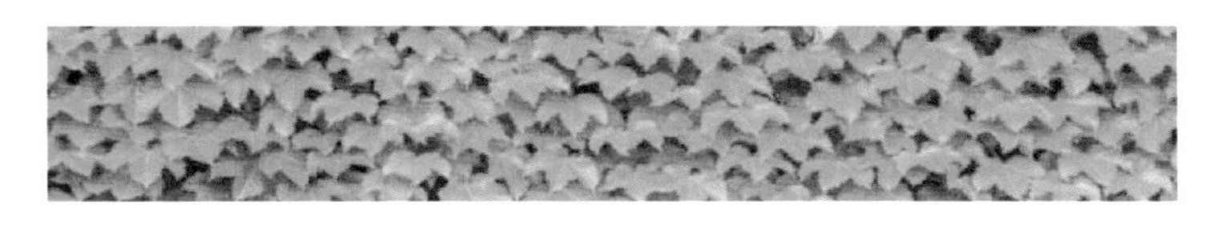

농촌인구의 감소

우리나라는 빠르게 도시화로 인한 이촌향도 현상이 발생하여 농업인구가 급속하게 감소하고 있다.

통계청의 '농림어업총조사'를 보면 농업 종사 인구(농가 인구, 농부) 수를 보면 1970년에는 1,442만명에 이르던 것이 2015년에는 56만명으로 줄어들었다.

뿐만아니라 농가인구 비율은 1970년 44.7%로 거의 절반이 농업인구였던 것이 2015년에는 5.1%로 인구 100명 중 농업인구는 5명이라는 의미다.

<표 2-1> 농가인구 비율

구분	1970년	1980년	1990년	2000년	2010년	2015년
인구(명)	1,442만	1,082만	666만	403만	306만	256만
농가인구 비율(%)	44.7	28.4	15.5	8.6	6.4	5.1

출처 : 통계청 자료

농업인구의 감소폭은 2000년 16.9% 이후 2005년 10.8%, 2010년 10.8%로 그 폭을 줄여오다가 2015년에는 16.1% 줄어들면서 지속적인 농업인구가 감소하고 있다.

어업 종사 인구의 숫자는 농업보다 더 큰 폭으로 줄고 있다. 어가 인구는 2015년에 12만 9000명으로 2000년에 비하여 4만3000명이 줄어 어업인구의 비율은 24.9%나 줄었다. 어업인구는 100명당 0.3명으로 구성되어 있다.

지난 5년 새 농가 인구 감소폭이 대폭 커진 이유에 대해서 통계청은 인구 고령화와 택지 조성에 따른 전업 효과로 풀이했다. 따라서 농가 인구의 고령화로 인하여 농가 인구는 지속적으로 감소할 것으로 예측하고 있다. 농업인구의 감소는 생산량 감소로 인하여 농가소득이 감소하게 되며, 이는 농촌을 떠나게 하는 연쇄반응을 가져올 것으로 예측할 수 있다.

따라서 농어업인구의 감소를 멈추게 하기 위해서 가장 좋은 것은 6차산업의 적용이다. 6차산업을 통하여 생산물의 가치를 증가시키게 되면 수입의 증가로 오히려 도시인들에게 귀농 귀촌을 증가하게 하는 요인이 될 수 있다.

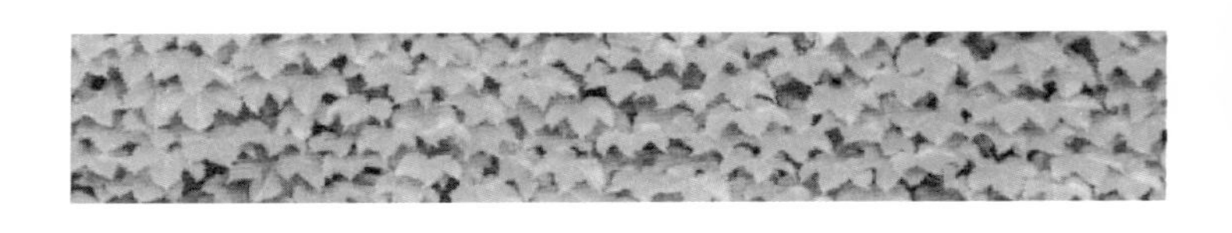

농촌인구의 고령화

우리나라는 출산률이 급격하게 줄어가면서 노령화가 심각해지고 있다. 문제는 농촌의 고령화는 더욱 심각해지고 있다는 것이다.

통계청의 자료를 보면 우리나라 65세 이상의 노령인구가 1980년에는 146만명으로 전체 인구 중에서 고령인구가 차지하는 비중은 100명당 3.8명이었다.

2010년에는 536만명으로 전체 인구 중에서 고령인구가 차지하는 비중은 100명당 11.0명이었다. 2026년에는 536만명으로 전체 인구 중에서 고령인구가 차지하는 비중은 100명당 20.8

명으로 증가할 것으로 예측하고 있다.

<표 2-2> 고령화 비율

구분	1980년	1990년	2000년	2010년	2026년
65세 이상 인구(천명)	1,456	2,195	3,395	5,357	10,218
고령화비율 (%)	3.8	5.1	7.2	11.0	20.8

출처 : 통계청 자료

문제는 농촌의 노령인구 비율은 더 빠르게 증가하고 있다는 것이다. 1995년에는 65세 이상의 노령인구가 전체 농업인구의 16.2%에 불과하던 것이 2018년에는 전체 농업인구의 41%에 달하였으며, 2025년에는 거의 절반인 47.7%에 이를 것으로 예측하고 있다.

농촌 인구의 고령화에 따라 60세 이상의 농가경영주는 57%로 절반이 훨씬 넘는 농가를 노인들이 운영하고 있는 실정이다. 이처럼 농촌의 노령인구가 급격히 늙어가고 있어 문제가 심각해지고 있다.

사람은 나이가 들수록 건강이 나빠지기 때문에 70세가 넘으면 농사일을 하는데 신체적인 어려움을 겪는다. 실제로 농촌 노인들은 각종 만성 질환에 시달리면서도 인력 부족으로 어쩔 수 없이 농사 일을 하는 경우가 대부분이기 때문에 문제가 매우 심각하다고 할 수 있다.

한국보건사회연구원에 조사에 의하면 농촌거주 노인 인구 중 관절염, 요통, 고혈압 등 만성 질환을 적어도 한 가지 이상 앓고 있는 노인들이 많다는 것이다. 농업은 육체적인 노동이 대부분이기 때문에 건강이 좋지 못하거나, 신체적으로 쇠약해지면 농업에 종사할 수 없게 된다. 결국 농촌인구의 고령화는 생산성 감소로 인하여 농업에 종사하기가 어려워지므로 농업으로 인한 수입이 줄어들게 된다. 문제는 갈수록 농촌에는 노인들이 증가하게 됨에 따라 생산성 감소도 증가할 것이기 때문이다.

따라서 노령화로 인한 생산성 감소 문제를 해결하 위해서 가장 좋은 것은 6차산업의 적용이다. 6차산업을 통하여 생산물의 가치를 증가시키게 되면 수입의 증가로 생산성은 줄어도 가치가 높아지면 수입의 변화가 생기지 않거나, 증가해질 수 있다.

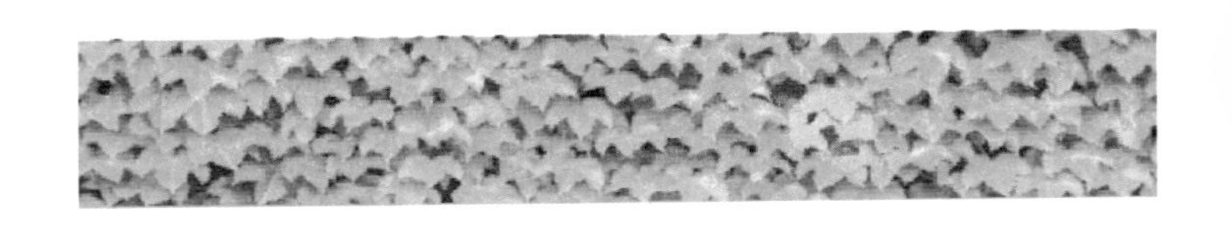

농촌 소득의 양극화

우리나라는 도시·농촌 모두 소득이 증가하고는 있지만, 도시·공업 부문의 고도성장에 의해 도농간 격차가 확대되고 있다.

우리나라 농업은 경지구획정리, 농업작물 다각화를 통해 지속적인 성장을 이루고 있으나 세계무역기구(WTO) 출범과 2012년 한·미 FTA의 발효 등 농업분야의 국제경쟁력이 강조되는 시점이다. 이와 같은 대외 경제환경 변화는 농림수산업의 경우 1차 상품의 단순한 생산 판매만으로는 존립에 한계가 있을 수밖에 없다.

특히 1990년대 중국 등 다국적 국가로부터

농수산물의 수입이 급증하면서 국내 수요에 의존해 오던 농수산물은 국내 시장에서 수입품과 심한 경쟁을 하면서 가격경쟁력 약화로 어려움에 직면하고 있다.

우리나라에서도 도시 근로자들의 임금은 상승해서 소득이 증가하고 있는 데 반하여, 농촌에서는 농산물에만 의존해야 하기 때문에 당연히 수입이 한정적이며, 그나마 과잉생산이 되면 생산에 들어가는 비용도 제대로 건지기 어려운 경우도 생긴다. 이로 인하여 도시와 농촌간에 소득격차가 갈수록 심화되고 있다.

농촌 안에서도 농촌에서 젊은 농부들은 기업형 농업을 하거나, 새로운 품종의 개발, 특산물을 재배하면서 수입이 증가하고 있는 농부도 생겨났다. 반면에 농촌이 고령화되면서 노인들의 생산성이 떨어짐에 따라 소득이 감소하여 농촌에서도 소득의 격차가 발생하고 있다.

농가의 소득문제는 농업경영을 위축시켜 농업 생산의 축소를 초래하여 자급률이 하락하는 것은 물론이고 지역경제가 쇠퇴하는 요인으로도 작용한다.

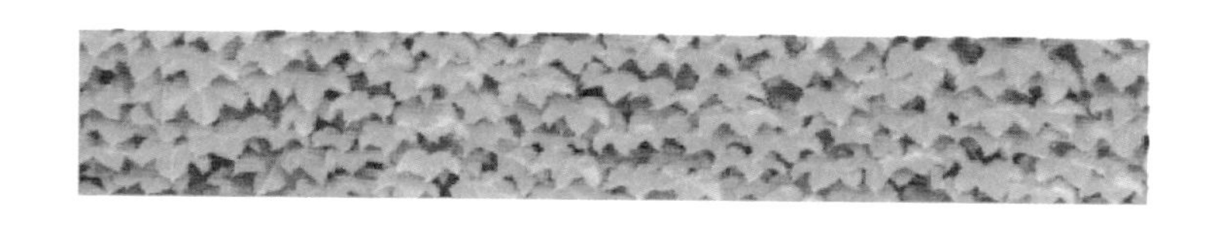

산업의 변화

산업의 발달에 따라 1차산업인 농업이 지속적인 발전을 하기 위해서는 6차산업을 활성화를 해야 한다. 뿐만아니라 지금보다 더 나은 성장을 위해서는 4·5·6차산업도 농업에 도움이 될 수 있는 것이 있다면 융합해야 한다.

우리나라의 산업의 변천사를 보면 1960년대에는 경공업, 농업, 어업, 임업이 중심산업이었으며, 섬유·합판·신발 공장 기능공과 기술자, 스튜어디스, 탤런트, 전자 제품 조립원 등의 새로운 직업이 생겨났다.

1970년대에는 수출, 중화학공업이 중심산업

이었으며, 국외 건설 근로자, 중장비 엔지니어링, 토목·설계 기술자, 기계·전자 공학 전문가 등의 새로운 직업이 생겨났다.

1980년대에는 중화학공업, 산업고도화가 중심산업이었으며, 금융계 종사자, 운동선수, 광고 전문가, 선진유통 종사자, 공인중개사, 텔레마케터 등의 새로운 직업이 생겨났다.

1990년대에는 정보통신, 금융전문사업이 중심산업이었으며, 선물거래사, 기업신용평가사, 웹마스터, 연예인코디네이터, 멀티미디어 관련업 등의 새로운 직업이 생겨났다.

2000년대에는 정보통신, 인터넷 등 지식기반 경제가 중심산업이었으며, 인터넷솔루션 전문가, 국제회의전문가, 금융자산관리사 등의 새로운 직업이 생겨났다.

2010년대에는 교육, 의료, 여행, 취미 관련업이 중심산업이며, 원격교육전문가, 의료관광 기획가, 여행기획가, 웹어프리케이선 제작자 등의 새로운 직업이 생겨났다.

2020년대에는 가공, 기능, 로봇, 전기차 관련 업이 중심산업이 될 것이며, 로봇전문가, 자율주행 전문가, 사물인터넷 전문가, 빅데이터 전문가가, 가상현실 전문가, 기능향상가, 가공기술자 등의 새로운 직업이 생겨날 것이다.

<표 2-3> 우리나라 산업의 변천사

구분	중심 산업	신생 직업
1960년대	경공업·농·어·임업	섬유·합판·신발 공장 기능공과 기술자, 스튜어디스, 탤런트, 전자 제품 조립원
1970년대	수출·중화학 공업	국외 건설 근로자, 중장비 엔지니어링, 토목·설계 기술자, 기계·전자 공학 전문가
1980년대	중화학 공업 산업 고도화	금융계 종사자, 운동 선수, 광고 전문가, 선진 유통 종사자, 텔레 마케터
1990년대	정보 통신금융	선물 거래사, 기업 신용 평가사, 웹마스터,

	전문사업	연예인, 멀티미디어 관련업
2000년대	정보 통신 등 지식 기반 사업	유통관리사, 인터넷솔루션 전문가, 국제회의전문가, 금융자산관리사
2010년대	교육, 의료, 여행, 취미 관련 업	원격교육전문가, 의료관광 기획가, 여행기획가, 웹어프리케이션 제작자
2020년대	가공, 기능, 로봇, 자율주행	가상현실 전문가, 기능향상가, 가공기술자

출처 : 전도근(2017). 전직지원의 이론과 실제. 교육과학사

오늘날 농업은 과거 1차산업 중심에서 벗어나 2차산업인 종자 산업, 농자재산업, 가공식품을 포함한 식품 산업과 나아가 문화·서비스업 등 3차산업으로 영역을 확장하고 있다.

경제 성장에 따라 식품소비 패턴이 고급화 및 다양화되고, 편리성을 추구하면서 이를 소비하는 소비자 패턴이 급격하게 변화되고 있는 것이다. 따라서 농업도 이러한 세상의 변화에 적극적으로 대처해야 한다.

제3부

6차산업 관련 용어

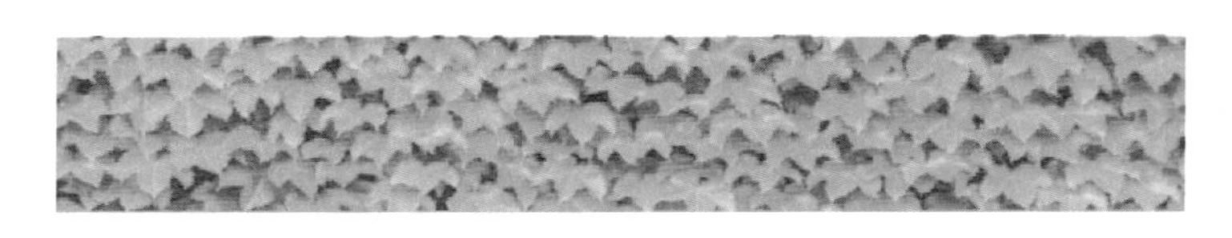

도농교류

도농교류의 사전적 의미는 도시와 농촌의 지방 자치 단체 간에 자매결연을 하는 것이다. 그러나 '도시와 농어촌 간의 교류촉진에 관한 법률'에서는 농어촌체험·휴양마을사업, 관광농원사업 등을 통하여 도시와 농어촌 간에 이루어지는 인적 교류와 농림수산물 등의 상품, 생활체험·휴양서비스, 정보 또는 문화 등의 교환·거래 및 제공하는 것이라고 정의하고 있다.

도농교류를 녹색관광(green tourism), 농촌관광(rural tourism), 도농녹색교류, 녹색농촌체험 등의 다양한 용어와 혼용되거나 유사한 의미로 사용되기도 하지만, 도농교류는 이러한 모든 개념을 포함하는 넓은 의미다.

도농교류는 지역자원의 생태·문화·역사자원에 대한 이해증진과 농촌의 활성화와 같은 공공의 목적을 위한 인적 교류에서부터 농특산물과 같은 상품을 판매하고, 관광·휴양·체험서비스를 제공하고, 정보, 문화, 자본 등의 교류에 이르기까지 다양한 의미를 포함한다.

OECD(1999) 보고서를 보면 농촌자원을 "야생지, 경작지, 경관, 역사적 기념물, 문화적 전통을 포함해 자연적이거나 인공적인 모든 것을 지칭하며, 농촌지역에 광범위하게 존재하는 모습들(Features)"이라고 정의하고, 농촌자원은 기본적으로 보호하고 발전시켜야 할 자산이며 농촌개발을 위한 중요한 자원으로서 인식하고 있다. 따라서 농촌자원을 통한 도농교류는 매우 의미가 있다고 할 수 있다.

소득 수준의 향상으로 도시민들의 웰빙에 대

한 수요 증대와 생활의식의 변화로 농촌자원은 그 활용 가치가 점점 높아지고 있다.

또한 최근 활성화되고 있는 농어촌 체험마을은 친환경 농어업, 자연경관, 전통문화 등 유·무형 자원을 활용하여 농어업의 부가가치를 높이고 농어촌의 소득향상 및 공동체를 형성·복원하여 삶의 질을 향상하고 있으며, 도시민의 다양한 수요에 맞는 체험·휴양공간으로 조성하여 도농교류의 기반을 구축하고 농촌지역에 활력을 증진시키고 있다.

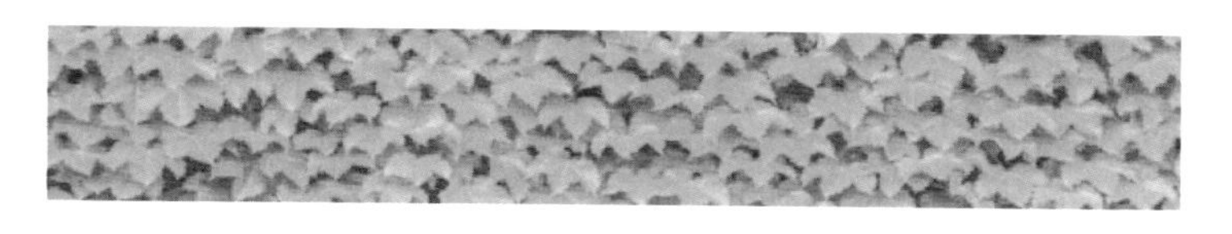

신활력사업

신활력사업이란 지역내 대학·기업·연구소·NGO·언론 등과 같은 지역을 혁신할 수 있는 주체들의 역량을 총 집결하여 지역혁신체계를 구축하고, 이를 바탕으로 지역특성에 맞는 발전전략을 수립·추진함으로써 지역의 혁신과 발전을 유도하는 사업을 의미한다.

신활력사업이 탄생하게 된 배경을 보면 국토의 불균형 성장발전을 해소시키기 위해 참여정부가 2004년 1월16일 국가균형발전특별법을 제정하여 국가적인 차원에서 불균형 성장발전을 해소시키고자 정책을 시행하게 되었다.

신활력사업은 지역이 주체가 되어 자생적 발전 역량을 키우고 강점을 발굴, 특화·사업화하여 지역발전을 유도하는 새로운 개발방식이다.

신활력사업은 향토자원 육성, 농촌관광 사업, 인재육성, 주민 삶의 질 향상를 목표로 하여 지역 혁신 역량 강화, 고부가가치 6차산업 창출, 도농간 활발한 교류·협력을 추진한다. 이때부터 지방자치단체 단위로 보다 본격적으로 지역자원을 활용한 융·복합의 개념이 시작했다.

신활력사업이 성공하기 위한 핵심은 첫째 자신들이 가진 최고의 잠재역량이 무엇인가를 찾아내야 하며, 둘째 찾아낸 잠재역량이 경제적 효과로 나타날 수 있어야 하며, 셋째 지속적으로 계속 성장할 수 있는 사업이어야 한다.

신활력사업으로 선정하는 지역 범위는 시군구 단위로 지정하며, 사업의 성격은 S/W분야, 지역혁신역량 강화 분야이다.

신활력사업의 추진 방향을 살펴보면 다음과 같다.

① 농산어촌형을 중심으로 하는 지역혁신체계 구축 및 혁신역량 강화 사업이다.

② 중앙정부에 의존하는 수동적인 발전이 아니라, 지속적으로 발전할 수 있는 혁신주체들의 자발적인 참여로 이루어진다.

③ 지자체, 지역주민, 출향 인사, 외부 전문가 등이 함께 참여하는 개방형 네트워크 구축을 위해 지역발전을 위한 상호토론 및 학습과 벤치마킹 등을 통해 혁신을 유도한다.

④ 1차·2차·3차 산업을 융합하여 고부가가치의 새로운 산업을 육성하여 부가가치를 높인다.

⑤ 농사짓기 체험, 고기잡이 체험 등 도시민의 다양한 농산어촌 체험 프로그램을 운영한다.

⑥ 도농 자매결연을 추진하여 도시민에게는 양질의 농산물 구입이 가능하고, 농어민에게는 안

정적 판로를 확보한다.

⑦ 공공서비스 개선과 삶의 질을 향상하기 위해 교육·의료·교통·통신 등 공공서비스 개선 및 프로그램개발을 통한 삶의 질 향상을 목표로 한다.

⑧ 지역이미지 제고 및 관광과 연계한 홍보·마케팅을 위해 지역고유의 향토문화 축제 개최, 도농교류 활동, 1사1촌 활동, 언론매체 홍보 등을 한다.

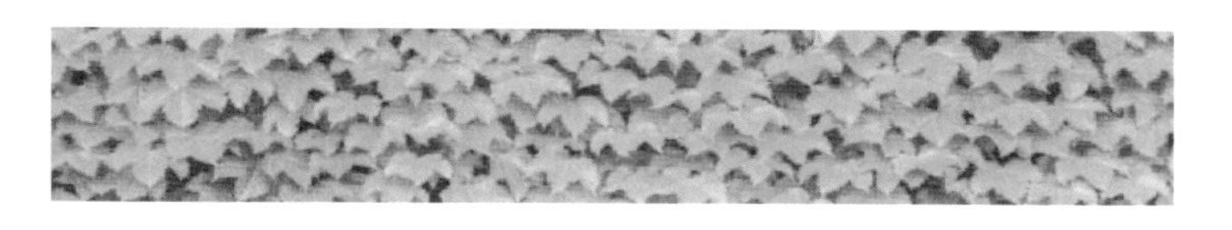

그린투어리즘(Green Tourism)

그린투어리즘은 우리 말로 녹색관광으로 농촌의 경작과 관련된 경관이나 자연경관, 역사적 기념물, 문화적 전통, 농촌 생활과 산업을 매개로 도농간의 교류 형태로 추진되며, 찾는 사람들에게 휴양과 경계적 가치를 제공하는 체류형 여가활동을 말한다. 그린투어리즘을 실시하게 된 배경에는 도농간 경제적 및 사회적 교류에 의한 농촌 지역의 활성화를 목표로 하고 있다.

관광농원은 1984년부터 도시와 농어촌 간의 상호교류를 촉진시켜 농어촌의 사회·경제적 활력을 증진시키기 위하여 추진된 농어촌정비사업의 일환으로 추진되었다. 이는 도시민들의 농어촌 생활에 대한 체험과 휴양 수요를 충족시키고 이로 인한 농어촌의 소득증대로 도시와 농어촌의 균형발전을 도모하기 위한 것이었다.

그린투어리즘 안에는 관광농원(Tour Farm)이 포함되는데, 관광농원은 농어촌의 자연자원과 농림수산 생산기반을 이용하여 지역 농산물의 판매시설, 영농 체험시설, 체육시설, 휴양시설, 숙박시설, 음식 또는 용역을 제공하거나 그 밖에 이에 딸린 시설을 갖추어 이용하게 하는 농원으로 농어촌정비법상 '농어촌 관광휴양사업'의 일종이다.

농촌자원은 농촌진흥청에서 자연자원, 문화자원, 사회자원으로 크게 분류하고, 이를 다시 환경자원, 생태자원, 역사자원, 경관자원, 시설자원, 경제활동자원, 공동체 활동자원으로 분류하고 있으나, 농촌자원은 지역에 따라 서로 다를 수밖에 없다.

농촌자원을 분류해보면 <표 3-1>과 같다.

<표 3-1> 농촌자원의 분류

구분	3차산업
자연환경	환경자원 - 깨끗한 공기, 맑은 물, 정온한 환경생태자원
	- 비옥한 토양, 미기후(微氣候), 특이 지형 - 동물, 식생(천연기념물, 보호종 희귀종, 보호수, 마을숲 등) - 수자원(하천, 저수지, 지하수 등), 습지
문화자원	역사자원 - 전통건조물(문화재, 정자, 사당 등) - 전통주택 및 마을의 전통적인 요소 - 풍수지리나 전설(마을유래, 설화 등)
	경관자원 - 농업경관(다락논, 마을 평야, 밭, 과수원 등) - 하천경관(하천흐름, 식생 등) - 산림경관(산세, 배후 구릉지 등) - 주거지경관(건축미, 주거지 스카이라인 등)

사회자원	시설자원 - 공동생활시설, 기반시설, 공공편익시설 등 - 농업시설(공동창고, 공동작업장, 집하장, 관정 농로 등)
	경제활동 자원 - 도농교류활동(관광농원, 휴양단지, 민박 등) - 특산물(유기농농산물, 특산가공품 등)
	공동체 활동자원 - 공동체활동, 씨족행사, 마을문화활동, 명절놀이 등 - 홍보활동

자료 : 농촌진흥청농촌자원개발연구소(2004), 주민참여계획모델에 의한 농촌

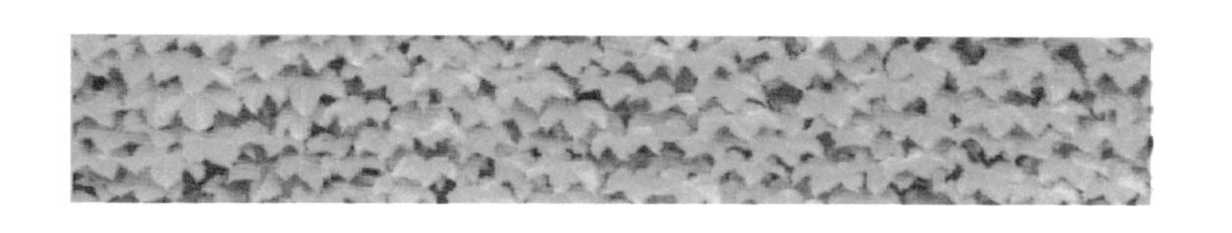

로컬푸드(Local Food)

요즘 농협을 중심으로 로컬푸드 사업이 활발하게 전개되고 있다. 로컬푸드(Local Food)는 소비자가 거주하는 지역(local)에서 생산된 농산물(food)을 의미한다.

판매시장으로부터 반경 10마일(16km)부터 하루 안에 운전하여 갈 수 있는 지역에서 생산된 믿을 수 있는 친환경농산물을 해당 지역에서 소비하는 것을 말한다. 나라마다 일정한 반경은 차이가 있지만, 우리나라에서는 같은 시·군에서 생산된 농산물로 정의하고 있다.

로컬푸드는 1990년대 초 유럽에서 믿을 수

있고 안전한 식품을 원하는 소비자와 지역 농업의 지속적인 발전을 꾀하려는 생산자의 이해가 만나면서 시작됐다. 이후 세계 각국에서 로컬푸드에 대한 관심이 증대되었다.

이로 인하여 이탈리아의 슬로 푸드(Slow Food), 네덜란드의 그린 케어팜(Green Care Farm), 미국의 100마일 다이어트 운동 등이 생겨났으며, 일본 특히 일본은 로컬푸드 소비 확대를 위해 지산지소(地産地消)운동을 진행해오고 있는데, 이는 말 그대로 그 지역에서 생산되는 농산물을 그 지역에서 소비하자는 운동이다.

우리나라는 2008년에 전라북도 완주군에서 로컬푸드 운동이 본격적으로 진행되었고 이후 각 지역별로 다양한 로컬푸드 운동이 확산되고 있다. 요즘에는 단위농협을 중심으로 지역의 생산자와 소비자를 연결하는 로컬푸드 매장을 만들어서 지역주민의 뜨거운 호응을 얻고 있다.

로컬푸드 운동의 효과는 다음과 같다.

① 소비자에게는 신선하고 믿을 수 있는 친환경 농산물을 손쉽게 구할 수 있는 장점이 있다.

② 생산자는 안정적인 판로를 갖고 있기 때문에 안심하고 생산할 수 있다는 장점이 있다.

③ 지역에서 생산과 소비가 활발하게 진행됨에 따라 지역경제 활성화가 이루어질 수 있다.

④ 소비자가 원하는 품목을 생산하여 공급할 수 있는 맞춤형 지역 푸드 시스템 구축할 수 있다.

⑤ 지역 농산물을 소비함으로써 농산물에 대한 지역 내 자급자족할 수 있다.

⑥ 가까운 거리에서 생산과 소비가 이루어지기 때문에 유통에서 발생하는 각종 공해나 쓰레기를 줄일 수 있어서 환경보호 효과가 있다.

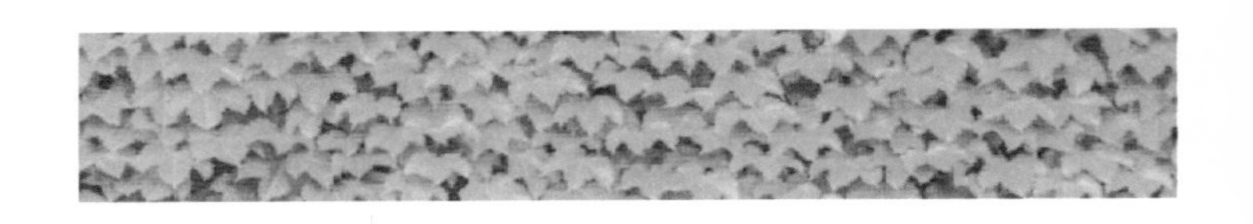

향토산업

향토 산업은 2007년부터 농어촌에 존재하는 유무형의 향토자원을 발굴하여 1,2,3차산업이 융·복합된 산업으로 육성하기 위하여 추진되었다. 이때부터 융·복합이라는 단어는 지역에서 자연스러운 단어로 자리매김하게 된다. 초기에는 대부분의 사업이 '명품화'를 주요 키워드로 했다면 시간이 지날수록 '융·복합'을 키워드로 하는 사업이 많아지는 양상을 보였다.

향토 산업은 1,2,3차산업이 연계된 복합 산업으로 육성하여 지역경제 활성화 및 소득기반을 확충하며, 농어촌지역의 사업 역량 제고 및 지속 가능한 사업체계를 구축하는 것을 기본 목적으로 하고 있다.

지역에 존재하는 유무형의 자원을 산업화하는데 초점을 맞추며, 이 과정에서 1·2·3차 융·복합을 도모하고 있는 셈이다.

신활력사업에서 의미하는 6차산업과 그 맥락을 같이한다고 할 수 있다. 하지만 신활력사업은 지방자치단체 단위의 사업으로서 농업인이 주체가 되어 생산하고 가공하고 유통 체험이 일체화된 6차산업이 아닌, 하나 또는 다수의 테마를 주제로 서로 각자가 생산과 관련된 사업, 가공과 관련된 사업, 유통 체험과 관련된 사업을 추진하는 방식으로 전개되고 있다.

또한 향토 산업의 경우는 가공 부분에 초점을 맞추고 가공 관련 법인을 육성하는 형태로 사업이 추진되어왔기 때문에 농업인과의 연계성 등에 대해서는 간과한 부분이 있다.

즉, 6차산업과 융·복합을 주요 테마로 사업을 추진해 왔지만 실제적인 주체들끼리의 연계 그리고 산업 간의 연계 부분은 미처 고려하지 못하고 지나친 점이 있었다.

제4부

외국의 6차산업 사례

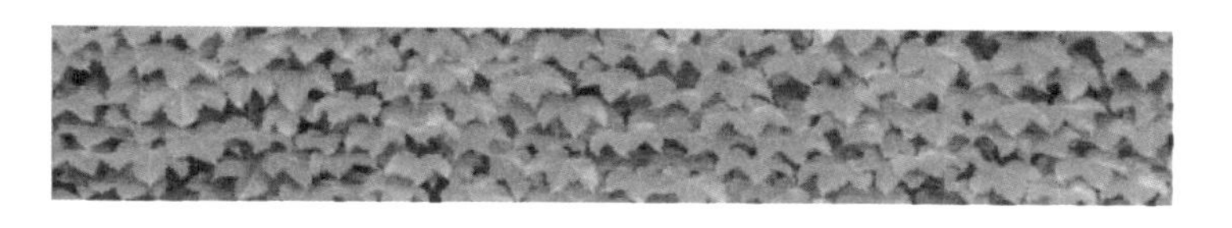

일본 오오야마(大山) 농협

6차산업의 효시이자 발상지로서 널리 알려진 오오야마 농협은 1961년 NPC (New Plum and Chestnuts)운동으로 하면서 알려졌다. 오야마농협이 있는 지역의 인구는 2,700여명이며, 조합원수가 565명인 작은 농협이다.

오오야마 지역은 농가당 면적이 작아 소득이 적었기 때문에, 작은 면적에서 어떻게 소득을 올리고, 타 지역과 차별화할 수 있을지 많이 고민한 끝에 NPC운동을 하기로 하였다.

NPC운동은 다음과 같이 3가지로 전개하였다.

첫째는 수익을 증대하여 농가 경제를 부흥시키려고 하였다. 오오야마 농협은 수익을 증대하기 위해서는 판매단가가 높은 농산물을 생산해야 한다는 생각에 착안하여 수익을 증대하기 위하여 노력하였다.

오오야마 농협은 돈 벌어서 '하와이 여행가자'라는 캐치프레이즈를 내걸고 수익이 높은 매실·자두·밤나무를 심었다. 그리고 안정적인 수익을 위해서 1년에 12번 수확이 가능한 시설재배 버섯으로 종목을 변경하여 수익을 확대하였다.

둘째는 지역 공동체를 만들려고 하였다. 오오야마 지역 주민들은 소득증대 만이 아니고 정신적인 여유와 풍요로운 삶을 살기 위하여, 이벤트나 각종 행사를 통해서 서로가 격려하는 공동체를 만들기 위해서 노력하였다.

오오야마 목장 축제

셋째는 사랑의 네트워크를 만들려고 하였다. 오오야마를 낙원으로 만들고 주민 모두가 여유와 삶을 즐길 수 있는 지구 환경을 만들고 생명체를 존중하는 운동을 전개하였다. 이를 위하여은 좋은 야채를 생산하기 위해서 좋은 토양을 만들어야 하는데, 퇴비공장을 만들어 버섯 찌꺼기에 유기생물을 섞어서 리사이클 방식으로 환경을 지킬 수 있는 순화농업을 실천하고 있다.

1990년에는 오오야마 농협은 농가 식당과 9개의 직매장, 숙성 및 가공품 판매장을 만들어

'고노하나 가르텐' 단지라고 명명했다.

농가 식당은 유기농 농산물 만을 사용하는 특별한 식당으로 지역 주민들에게 알려졌다. 식당이 활성화되면서 주부들의 일자리 창출뿐만 아니라 가정 전통 요리를 농가 식당에서 활용함으로써 삶의 보람을 한층 더 느낄 수 있는 계기가 되고 있다.

농산물 직매장은 1990년 50명의 생산자로 부터 시작하여 지금은 2,000명의 농가가 참여해서 680품목의 농산물과 가공품을 연간 15억 엔 판매하는 직매장으로 발전했다. 직매장 운영 방식은 판매 수수료 15%를 공제하고 출하자에게 정산하며 오후 6시까지 팔리지 않은 농산물은 농가가 거둬 가는 것을 원칙으로 한다.

특히 고노하나 가르텐 오가닉 농원 직매장에서는 매실 숙성과 가공품 판매장을 운영하여 수익을 증대하였으며, 연간 구매 고객이 매년

10%씩 증가하고 있다.

오오야마 매실

오오야마 농협은 6차산업이 성공하게 됨에 따라 일본 내에서 유명해져 많은 농민과 농협 관계자들이 보고 배워갔으며, 일본 총리까지 둘러보고 갔다. 이후 농산물 직매장을 대도시에 오픈하였으며, 슈퍼마켓이나 유통 업체 가공회사에 납품하여 소득이 지속적으로 증가하였다.

또한 오오야마 농협은 고령의 조합원들이 설

음식을 준비하는데 힘들어하는 것을 보고, 설날 음식상 배달 사업을 하고 있다. 1년에 한번이지만 2억 엔의 매출을 올리고 있으며 수익금 약 1억 엔은 50%는 농협 수익으로 하고 나머지 50%는 직원들에게 특별상여금으로 지급된다.

오오야마 농협은 끊임없이 새로운 사업과 신제품을 개발하며 45년간 이 지역의 농가 수는 변함이 없다. 주변 농협의 자기 자본 비율이 4% 정도인데 반해 오오야마 농협은 26%를 유지하며 조합원 600명의 탄탄한 조직으로 성장했다.

오오야마 농협은 이러한 놀라운 발전을 유지하기 위하여 조합장의 능력도 중요하기 때문에 후계 조합장을 양성하는 시스템도 갖추었다.

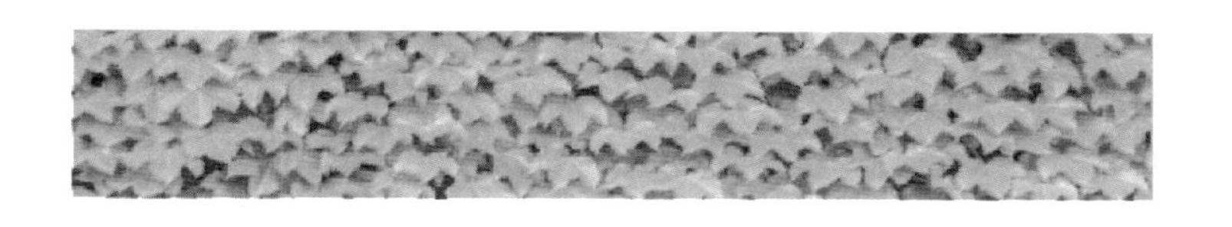

일본 후나가다(船方農場) 종합 농장

일본의 농촌은 1964년 동경올림픽 개최 후 일본 경제가 고도성장을 하면서 지역 중심 산업이던 농업의 인력이 다른 산업으로 유출되면서 쇠퇴의 길로 접어들었다.

후나가다의 65세 이상의 고령자 비율은 현내에서 가장 높은 지역이 되었다. 이를 타개하기 위해 5명의 청년들이 모여 6차산업을 하기로 결심하고 이를 실천으로 옮겼다.

농산물의 생산을 기본으로 하는 후나가다 종합 농장을 설립하여 낙농 비육우를 축으로 원예, 벼농사, 퇴비, 과수, 시설원예 등 종합적인 농산물을 생산하는 체제를 갖추었다.

후나가다 종합 농장

그리고 가공·판매를 중심으로 하는 ㈜밀크타운 음식 판매와 농업 체험 등 교류 사업을 하는 ㈜그린힐, 꽃과 딸기를 생산하고 판매하는 교류 시설인 ㈜하나노우미를 설립하였다.

이는 농산물의 생산하는 나가다 종합 농장은

1차산업, 농산물 가공·판매하는 ㈜밀크타운은 2차산업, 판매 시스템과 농장 개방 체험 활동 등 도시와 농촌의 교류 사업을 하는 ㈜그린힐과 ㈜하나노 우미는 3차산업의 융합의 결과이다.

가족 단위로 즐길 수 있는 바비큐 체험

후가나다 종합 농장의 특징은 첫째, 산간지역에서도 조직적 농업을 전개함으로써 농업과 지역사회을 발전시켰다. 둘째, 농업의 범위를 농산물 생산 중심에서 벗어나 가공, 판매, 교류, 체험 등 폭넓은 시야에서 농업 분야를 확대하였다. 셋째, 농촌이 갖는 자원과 능력을 최대한 활용하여 생산, 유통, 판매, 서비스로 사업화하여 농촌의 6차산업화를 구체적으로 보여주었다. 넷째, 그린투어리즘 등 도시 농촌 교류를 하며 무료 농장 개방을 통하여 농업 분야에 새로운 이정표를 세웠다.

그린투어리즘 개장 때 처음에는 1천명에 불과했던 관광객이 점차 증가하여 20만 명으로 대폭 증가했다. 관광객의 증가로 인하여 상근 고용 인원 60명과 비상근 고용 인원은 600명에 이르는 대규모 농장으로 발전했다.

후가나다 종합은 농장 중심에서 벗어나 가공과 직접 판매 그리고 체험 관광에 중점을 둔 농업으로 변신하여 총매출액도 크게 증가했을 뿐만아니라 농촌 지역 활성화 사례로 인기를 끌고 있다. 이는 인구가 점점 줄어가던 농산촌 지역

인데도 불구하고 소비자 중심의 기업적인 농업 경영으로 농업을 6차산업화 할 수 있다는 것을 보여준 것이다.

후나가다 농장에서 가공한 햄과 소시지

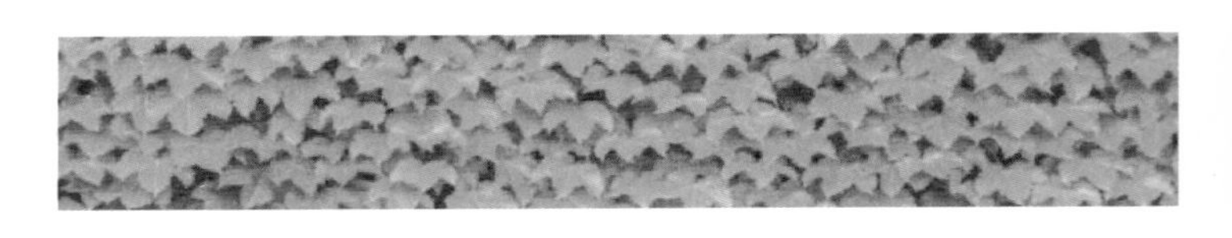

일본 사이보쿠(サイボク) 농업 공원

도쿄에서 가까운 사이타마현 히다카시 지역에 있는 사이보쿠 농원은 1946년 나가사키 출신의 창업자 다츠오씨에 의해 돼지고기 정육점에서 시작했다. 사이보쿠 농원은 면적 9ha에 소지지와 햄 공장을 비롯해 가공품 공장을 비롯해 채소 판매장, 천연온천이 이어져 있으며, 3개의 목장에서 기르고 있는 돼지를 이용한 1차산업을 시작으로 햄, 소시지를 가공하는 2차산업과 농원에서 생산된 농산물로 된 음식을 파는 레스토랑 등 3차산업이 아우러져 있다.

현재는 농업계의 디즈니랜드로 알려져 있으며, 연간 4백만 명이 찾는 명소이다.

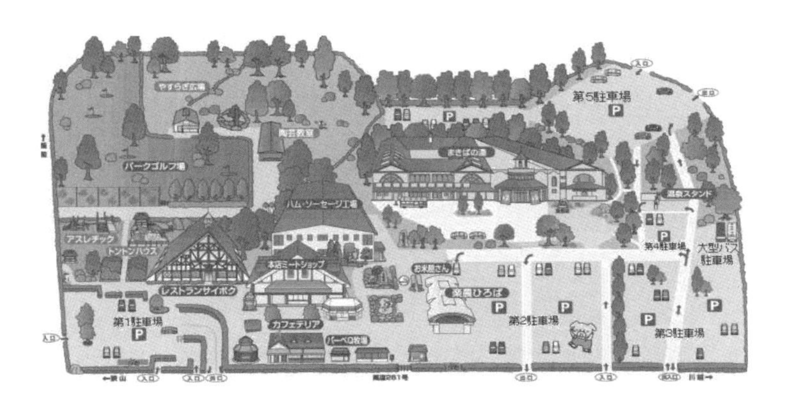

사이보쿠 농원 지도

사이보쿠 농원은 '푸른 목장에서 식탁'까지라는 슬로건으로 생산에서 판매까지 일관 시스템을 갖추고 있으며, 돼지고지 직매장과 식당의 경영으로 '미트 토피아' (meat topia: 고기와 이상향의 신조어)의 구상을 실천하고 있다.

최근에는 '아그리 토피아'를 선언하여 고기 중심의 일관 공급 체제를 농업 전부문에 확대하여 지역의 농림 공원을 만드는 등 생산, 판매, 서비스까지 제공함으로서 낙농의 관점에서 여유로

움과 평안함을 제공하는 이상향을 실천하고 있다. 그리고 농원에서 나온 퇴비를 이용하여 야채를 생산하고 판매하는 직매장을 개설하여 고객들에게 건강 먹거리를 제공하고 있다.

사이보쿠 농산물 판매

사이보쿠 농원은 방문한 고객들에게 농산물에 대한 올바른 선택 가이드라인을 제공하고 '心友(심우)'라는 월간 정보지를 10만부씩 발행하여 무료 배부하여 사이보쿠 농원의 홍보하여 안전한 먹거리를 위한 일본인들의 방문을 유도하여 계속 수익이 증가하고 있다.

사이보쿠 농원은 현재 연 700억을 올려 농산물 생산에서 그치지 않고 가공하여 부가가치를 높이고 이를 판매하고 서비스하여 농가소득을 증대할 수 있다는 것을 보여주었다.

관광객의 증가는 농원의 근무자 증가로 이어졌으며, 지역 주민들의 활력을 회복시켰다.

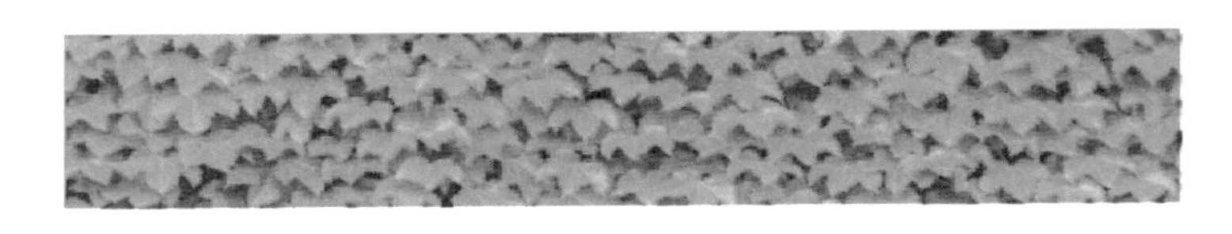

일본 하코네(箱根) 목장

삿포로에서 가까운 곳에 1,000명 정도가 사는 우마지무라라는 산골이 있다. 우마지무라는 산골에 위치하고 있었기 때문에 임업으로 생계를 꾸려나가던 곳이었다. 시대가 변함으로 임업이 어려워지자 고온다습한 경사지를 이용하여 유자를 재배하게 되었다. 그러나 농가 대부분이 고령이고 겸업농가여서 품질 좋은 유자 생산이 불가능한 현실이었다.

이러한 현실 속에서 농촌 경제를 활성화하기 위해서 자연스럽게 유자 가공품으로 진로를 틀 수 밖에 없었다. 그러다 1980년대부터 우마지무라 농협은 6차산업을 하기로 결정하고, 유자를 생산하는 1차산업에서 유자를 가공하는 2차산업과 판매를 하는 3차산업을 진행하였다.

현재 우마지무라 농협을 중심으로 유자를 30여종 가공해 직접 판매하여 연간 30억 엔의 매상을 올렸다. 처음에는 직접 판매를 하다 택배주문 판매를 넓혀 고정고원이 35만 명까지 증가하였다. 이들을 관리하기 위하여 농협만의 콜센터와 발송센터를 별도로 운영할 정도였다. 그러나 시간이 지날수록 주변 지역에 경쟁제품들이 많아져서 판매가 줄어들었다.

우마지무라 농협은 새로운 수익원을 창출하기 위하여 하코네 목장을 만들어서 소를 키우고, 소고기를 생산하여 판매하였다. 이를 통하여 입소문을 타고 하코네 농장을 방문하는 사람들이 많아지자 농장에서 나오는 각종 유제품을 만드는 체험학습을 전개하면서 인기를 끌게 되었다. 결국 관광객의 증가로 인하여 수익이 늘어나자 마을 전체를 관광상품으로 개발하였다.

하코네 목장 전경

지역자원을 연계하여 연어낚시와 풀코스 마라톤 대회를 열어서 연간 10만 명의 관광객이 찾는다.

우마지무라 농협은 지역 활성화 운동이 높이 평가되어 1995년 아사히 농업상을 받았으며 곧 유자 화장품 및 테마파크도 조성하게 관광객들을 유치할 계획이다.

하코네 목장 체험

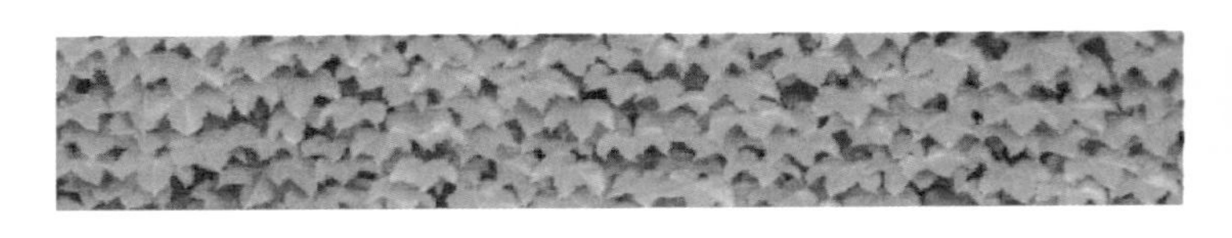

호주 템버레인(Tamburlaine) 포도농장

호주 템버레인 포도농장은 시드니에서 2시간 거리의 뉴사우스웨일즈주에 헌터밸리에 있다. 헌터밸리는 호주에서 가장 오래되고 유명한 포도주 주산지로 포도주 농장만 150여 곳이 있다. 원래는 포도를 재배하여 생산하는 1차산업이 주를 이루었다.

템버레인 포도농장이 유명한 이유는 호주에서 유기농으로는 가장 큰 100ha 규모의 포도농장이다. 모든 작업이 기계화되었기 때문에 양질의 유기농 포도를 생산하는 것으로 유명하다. 농장에서는 양질의 유기농 포도를 생산하기 위하여 화학비료·살충제·제초제 전혀 사용하지 않는다.

처음에 유기농으로 포도를 재배하다 보니 생산량은 많이 떨어졌지만 3년이 지난 후부터는 비슷하게 수확이 되었다.

템버레인 포도농장

템버레인 포도농장은 포도 생산에 그친 것이 아니라 농장에서 생산되는 유기농 포도를 이용하여 포도주를 가공하는 2차산업까지 운영하고 있다. 템버레인 포도주는 유기농으로 재배한 포도에 야생효모를 넣고 12개월간 숙성을 시킨다. 12개월이 지나면 적포도주가 만들어지고, 이것을 8개월 정도 숙성하게 되면 백포도주가 된다. 그리고 일부는 8~9년간 숙성시켜 프리미엄 브랜드로 출하한다. 템버레인 유기농 포도주는 고유의 맛과 향이 살아있고 항산화물질·비타민·미네랄이 풍부해 건강에도 좋다. 호주에서 가장 권위 있는 포도주 평가기관으로부터 최고등급 '별 5개'를 받았다. 포도주의 연간 생산량은 1200만병 수준으로 매출은 1000만 호주달러가 넘는다. 생산한 포도주의 80%는 자국에서 소비하고 20%는 한국을 비롯해 중국·미국·싱가포르 등으로 수출한다.

템버레인 유기농 포도주가 유명해지면서 직접 농장에 찾아와 포도주를 맛보고 사가는 소비자들도 증가하였다. 연간 농장 관광객만 3만 명에 육박한다. 그리고 SNS를 이용해 홍보를 하기 때문에 이를 보고 찾아 오는 전세계의 소비자들도 증가하였다.

농장에서는 방문하는 소비자들을 위하여 포도

주 체험농장, 고급 레스토랑, 요리학교, 박물관, 골프장 등 관광 인프라도 두루 갖추어 3차산업을 시작하였다. 그리고 포도 농장에서는 결혼식장도 운영한다. 친환경 포토밭을 배경으로 야외 결혼식을 하고 결혼식이 끝난 후엔 실내 연회장에서 식사와 포도주를 제공한다. 그리고 1년 내내 재즈·오페라의 공연이 포함된 맛있는 음식과 포도주 이벤트 행사가 열린다.

템버레인 포도농장은 1차산업 유기농 포도 재배, 2차산업 포도주 가공, 3차산업 결혼식장 운영을 통해 6차산업화를 잘 이끌어가고 있다.

템버레인 포도주

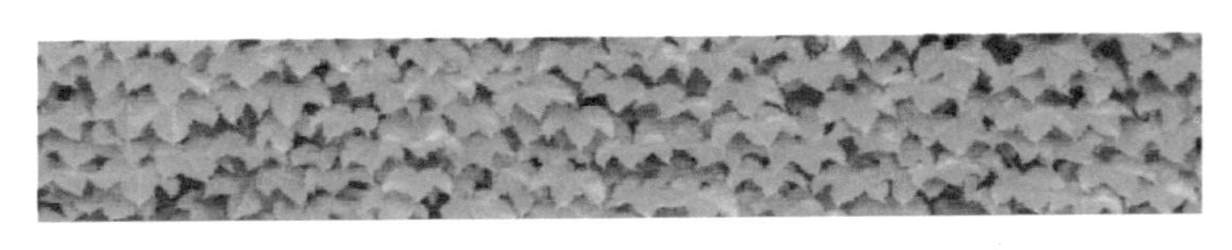

뉴질랜드의 6차산업

뉴질랜드는 넓은 초원을 가지고 있기 때문에 자연스럽게 양과 소를 키우는 목장이 많다. 뉴질랜드에서는 사람보다 가축이 많은 나라로 유명하며, 우리나라는 식량의 76%를 수입하는 반면, 뉴질랜드의 농촌은 농산물 수출이 나라 전체 수출의 50%를 넘는 수출농업 강국이다.

뉴질랜드는 농업생산의 90%를 수출하기 때문에 1950년대에 세계에서 소득이 가장 높은 국가였다. 그러다 주 수출국이었던 영국이 EC(유럽공동체)에 가입하면서 타격을 입고, 이후 오일쇼크와 환율억제로 수출가격 하락, 농자재 가격 상승, 인플레이션 등의 악재가 연속적으로 발생하여 농업의 수익성이 크게 악화되기 시작했다.

뉴질랜드 정부는 1차산업으로는 더 이상 뉴질랜드의 경제성장을 이끌기 어렵다는 판단 아래 농축산물의 경쟁력을 높이기 위하여 농민을 중심으로 품목별로 전문조직을 만들어 품목별 전문화를 하였다. 그리고 3차산업인 관광과 연계하여 뉴질랜드는 자연환경이 깨끗하고 아름다운 나라로서 관광 대국으로 성장하였다.

1) 폰테라(Fonttera) 낙농

폰테라는 뉴질랜드 낙농가 90% 이상이 가입한 협동조합 기업이다. 폰테라는 2001년에 최대 협동조합 2개를 합병하여 만들어졌다. 지금은 한국을 포함해 140개국에 우유제품을 공급하는 세계 최대의 낙농 수출기업이 되었다. 폰테라에서 생산하는 낙농재품의 총매출은 연

110억 달러에 달하고 있으며, 뉴질랜드 수출의 무려 25%를 차지하고 있어 '뉴질랜드의 삼성전자'라고도 한다.

폰테라는 지속적인 성장을 위해서 한해 1억 달러 이상을 연구개발에 투자하여 신제품을 개발하고 있다. 폰테라가 세계적인 낙농기업으로 성장한 원인은 조합원의 힘을 모으고 경영의 과실을 고루 나누는 협동조합의 정신으로 운영되기 때문이다.

폰테라 낙농공장

2) 제스프리(Zespri) 키위

제스프리는 세계적 브랜드는 키위를 수출하는 협동조합 기업이다. 2000년에 2700명이 모여서 창립해 불과 10년 만에 놀라운 성장을 하였다. 2000년에는 4억5900만 달러에 불과하던 수출이 2009년 10억700만 달러로 급성장했다.

제스프리는 세계적 브랜드로 만들기 위하여 수출마케팅 기업 말고도, 선별과 포장, 운송에 이르기까지 다양한 자회사를 세워서 적극적인 마케팅을 하였다. 뉴질랜드 정부는 1999년에 키위 수출창구를 단일화하는 법을 제정해 제스프리 같은 품목별 협동조합 기업들을 지원하는 아주 강력한 정책을 추진하고 있다. 이로 인해 제스프리에 가입한 농가들은 소득이 극대화되고 있다.

제스프리는 성공할 수 있었던 원인은 키위 농가 모두의 힘을 제스프리라는 마케팅 전담회사하나로 모았기 때문에 기술혁신과 수출역량을 키우고 높은 가격을 받을 수 있게 되었다.

제스프리 키위

3) 마마쿠(Mamaku) 블루베리 농장

마마쿠 블루베리 농장은 오클랜드에서 북섬의 아랫 쪽인 로토루아 근처에 있다. 마마쿠 블루베리 농장은 20ha의 대지 위에 1980년대에 설립되었으며, 뉴질랜드에서 가장 큰 불루베리 와이너리이기도 하다.

농장에서는 블루베리의 생산만으로는 한계가

올 것이라는 빠른 시장변화를 인지하고 생과 판매에서 6차산업으로 융·복합화를 추진하고 있다.

마마쿠 블루베리 농장에서는 상품의 차별화를 위하여 벌을 이용한 수분, 토양침식과 수분증발 억제 위해 초지조성, 화학비료와 농약사용을 금지하여 유기농으로 생산하고 있다.

처음에는 생과를 생산해서 판매를 하였지만 부가가치를 높이기 위하여 1992년에는 와인제조를 시작하였으며, 2001년부터는 잼, 와인, 아이스크림, 농축액, 젤리, 주스, 핸드크림, 비누 등으로 상품을 다양화했다. 블루베리의 연간생산량은 200톤으로 70%는 냉장유통(수출)하고 있으며, 20%는 직접 가공하여 판매하고 있으며, 상품성이 떨어지는 10%는 폐기된다.

블루베리의 수확 시기가 짧아서 수익이 한 시기에 몰려 있기 때문에 수익을 연중 지속적으로 발생하기 위해서 수확 시기가 다른 다양한 종류를 심어서 오랫동안 블루베리를 생산한다.

농장에서는 블루베리 열매와 가공품을 판매하는 판매점과 식당을 같이 운영하며, 관광객의 증가를 위하여 체험 프로그램을 운영한다. 체험 프로그램으로는 열매따기와 조랑말, 양떼 먹이주기, 주스 가공하기 등 다양한 프로그램을 운영하고 있으며, 로토루아라는 주변의 유명 관광지와 연계하여 체험 프로그램을 활성화하고 있다. 농장인력으로는 워킹 홀리데이를 활용하고 있다.

마마쿠 블루베리 농장

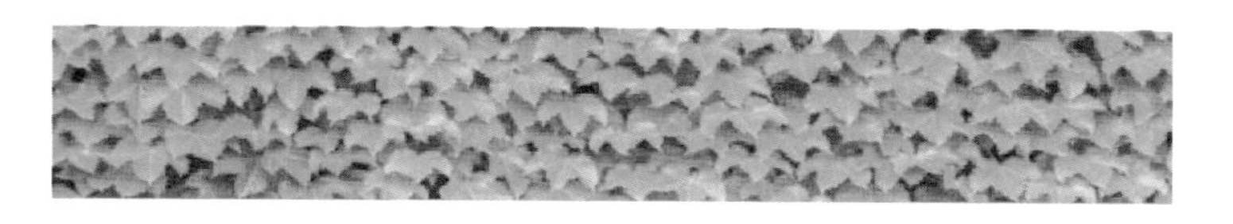

중국 용두기업(龍頭企業)

중국의 농민들은 사회주의 국가이기 국가에서 배분된 땅을 경영할 수 있는 권리만 있으며, 농민의 수가 엄청 많기 때문에 농가당 받은 농지도 적었다.

중국의 영세한 농업구조에서 시장개방이 확대됨에 따라 갑자기 농산물 수입이 증가하고, 이것이 국내 농산물 가격의 하락을 초래하여 소득이 감소하는 현상이 나타나고 있다. 뿐만아니라 우리나라와 마찬가지로 경제의 고도성장과정에서 도농 간 소득 격차가 확대되는 것도 문제로 등장하였다. 이로 인한 농민들의 불만이 증가함에 따라 중국 정부에서는 노동간 소득 격차 해소를 위하여 6차산업화를 추진하였다.

중국에서의 6차산업화는 시장개방에 대응하기 위하여 농업에서 마케팅 능력이 높으며, 선도할 수 있는 용두기업을 만들었다. 중국은 사회주의 국가이기 때문에 협동조합이 자생하기 어려웠기 때문에 기업형태를 띤 용두기업은 농외기업이라고도 하며, 우리나라의 영농법인과 비슷한 기능을 한다.

용두기업은 생산을 계열화하여 영세농가들과 계약을 통하여 농가를 지역 단위로 조직화하여, 종자나 비료 등 생산 자재를 제공하고 기술 지도를 실시하며, 계약 농가가 생산한 농산물을 매입해준다. 이로써 농가에서는 양질의 농산물을 생산하고, 생산비용을 줄여 경쟁력을 키우고, 시장교섭력을 강화하여 농공 간 균형발전을 도모하였다.

용두기업과 농가 간의 계약관계는 이익증대를

목적으로 하되, 손익을 공유하고 위험을 부담하는 거래이고, 주로 축산, 채소, 곡물 부문에서 전개되고 있다.

농업의 생산계열화는 1988년 산둥성의 채소 산지에서 최초로 시작되어, 전국적으로 확산되고 있다. 이를 지원하기 위해 1995년 중국 농업부는 '농업산업화 판공실'을 설치하여 산업화 경영을 확산하기 위한 지도를 시작하였다.

이에 의하여 농업부는 국가급 용두기업, 성정부는 성급 용두기업, 시는 시급 용두기업을 각각 지정하도록 하였으며, 용두기업에 대해서는 세금감면 및 우대융자 등의 조치를 강구하도록 하였다.

중국의 6차산업화로 성공한 사례를 보면 다음과 같다.

1) 윈난성 융격난원예공사(隆格蘭園藝公司)

윈난성은 중국의 남서부에 위치하고 있으며, 화훼농가들이 많다. 융격난원예공사(隆格蘭園藝公司)는 백합, 난초, 장미, 카네이션, 코스모스 등의 화훼류를 직접 생산하거나 농가들과 계약생산을 병행하여 생산물을 직접 판매한다.

융격난원예공사는 400만 위안을 투자하여 토지를 개간하여 지방정부로부터 50년간 임차를 하여 화훼생산을 하면서도, 인근 농가들과는 계약거래를 한다. 계약재배하는 면적은 6개 지역에 걸쳐 33ha에 달한다. 그리고 네덜란드 화훼 전문가를 초빙해 장기간 기술 전수를 받았으며, 이로 인해 중국에서 최고 품질의 화훼를 생산하고 있다.

계약방식은 농가와의 개별적인 계약이 아니라 농가를 대표하여 촌민위원회와 기업 간의 계약을 한다. 기업은 계약한 농가에게 종자 또는 종묘를 공급하고 생산기술을 지도한다. 생산된 화훼는 기업이 전량 매입한다. 판매는 인근 선전 지역의 기업에 위탁판매를 주로 하며, 일부는 수출을 통하여 판로를 확대하고 있다.

2) 푸젠성 감귤재배기업

푸젠성 중국의 남쪽에 위치하고 있기 때문에 용안, 여지, 바나나, 파인애플, 감귤, 비파 등의 과일이 많이 난다.

푸젠성 감귤재배기업은 감귤과 채소를 생산하는 회사를 1986년에 설립하였다. 감귤재배기업의 보유한 토지는 촌민위원회 소유를 포함하여 감귤 재배를 위한 토지는 200,000㎡, 채소 재배를 위한 토지는 40,000㎡에 달한다.

감귤재배기업은 감귤을 직접 생산하기도 하지만, 농가와 직접 상담하여 농지를 확보하고 전체를 토지를 가지고 생산한다.

감귤재배기업은 농기계나 트럭을 구입하고, 집하 보관시설을 설치하여 생산량을 극대화하고, 생산단가를 낮추어 유명해졌다.

생산된 감귤은 국내에 일부를 판매하고, 나머지는 해외 수출을 하고 있다. 주문량이 많아지고, 수익이 높아짐에 따라 인근 지역의 농가도 참여를 원하고 있어 점차 경영 규모를 확대하고 있다.

제5부

우리나라의

6차산업 사례

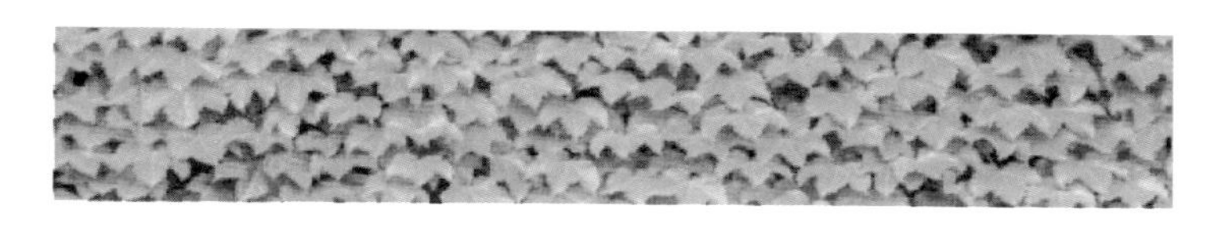

양구군 산채비빔밥

강원도 양구는 산채로 6차산업을 성공시킨 지역이다. 양구는 우리나라의 정중앙에 위치하고 있으며, 산으로 둘러싸인 분지 지형으로 인구는 23,000명이다.

양구는 산으로 둘러 쌓여 있기 때문에 임산물이 많이 나며, 특산물로는 더덕·도라지·고비·고사리·싸리버섯·느타리버섯·송이버섯 등이 많이 채취된다. 그러나 1차산업으로는 특별한 경쟁력을 갖지 못했기 때문에 6차산업을 시작하게 되었다.

유통기업은 양구의 산채가 경쟁력이 있다고 생각하여 양구군에 산채를 납품할 것을 제안하였다. 양구군 '통일 고랭지 영농조합 법인'은 산나물을 활용한 산채비빔밥 상품을 ㈜GS리테일에 제공함으로써 2010년 '양구 산채 비빔밤'이 시장에 선보였다.

양구 산채비빔밥은 현재 전국 5,100여개 GS25시 편의점을 통해 판매하며 연 44억 원의 매출을 기록하였다. 소비자들에게 신선도가 높은 산채비빔밥을 전자레인지에 데워 먹을 수 있는 편의성으로 우수한 평가를 받고 있다.

산채비빔밥이 성공하게 된 원인은 즉석 조리식품이나 신선식품의 매출이 지속적으로 증가되고 있는 점과, 간편식을 찾는 소비자의 선호도 변화, 1인 가구 등의 증가를 염두에 두고 도시락을 만들어서 납품했기 때문이다.

산채를 공급하는 통일고랭지 영농조합법인은

산나물의 특성상 채취 시기가 있고, 전국 체인인 ㈜GS리테일에 납품하는 데는 수량적 한계가 있어, 양구 주변의 강원도 인근 지역과의 협업을 통해 납품하였다.

양구 산채 비빔밥

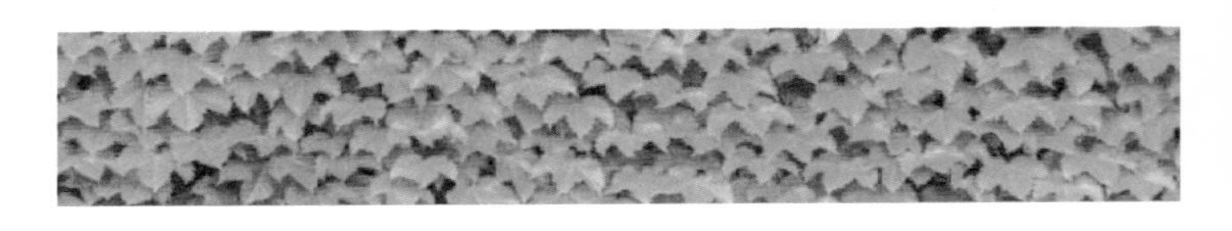

서부충남 마블로즈

충청남도는 양돈 사육두수는 전국 22%를 차지하고 있으며, 그중 7.5% 이상이 보령과 홍성에 집중되어 있다. 이에 2005년도에 9개 농장이 협력하여 공동영농조합법인 농가원을 설립하여 사료 사업을 전개해왔다. 이를 기반으로 하여 2009년도에 농가원이 중심이 되어 보령시 16농가, 홍성군 43농가 등 총 59농가가 참여하여 농업회사법인 ㈜행복을 만들었다.

농가원에서는 기존에 해왔던 종돈, 사료, 분뇨처리 서비스를 ㈜행복에 참여한 모든 양돈 농가에게 지원해주고, 양돈농가는 소정의 수수료 정도만을 부담하도록 하였다. 양돈 농가들은 지금까지 개인적으로 해오던 일들을 대폭 줄이고, 과학적인 지원을 통하여 돈육 품질을 고급화시켰을 뿐만 아니라, 2%정도의 비용 절감 효과를 가져왔다.

홍성군의 농가들은 돈육 차별화를 통해 수익사업을 하겠다는 목표로 2009년 '서부충남 고품질 양돈 클러스터 사업단'을 만들어 고품질 돈육을 생산하기로 하였다. 그래서 사료에 어분을 첨가하여 'DHA가 강화된 돼지고기'를 개발하고, 유채꽃을 사료에 첨가하여 오메가 3돼지고기를 개발했다. 오메가 3돼지고기는 일반 돼지고기에 비해 40배 정도의 높은 함량을 가지고 있으며, 시험평가에서 1+등급 우수입증을 받았다.

농가들은 고품질 돈육을 판매만 하기보다는 마블로즈를 공동브랜드를 만들어, 마블로즈 직매장과 '돼지카페 마블로즈'라고 브렌드를 만들어서 체인점을 전국적으로 개설하고 있다. 양돈 체험센터를 만들어서 체험 프로그램을 운영하고 있으며, 가공공장을 직접 운영하고 있다.

마블로즈 직영판매장

또한 돼지고기의 선호 부위는 전부 판매하며, 비선호 부위는 소시지 및 햄으로 만들어 생산하고 있다. 다른 회사는 외국산 폐돈 등을 사용하여 소시지나 햄을 만드는 데 비해 국내산 돼지고기를 사용하고 있는 점에서 차별화되고 있으며, 외국으로 수출도 모색하고 있다.

향후에는 보다 다양한 돼지 가공 상품을 개발

하여 지역 내에서 비육되는 돼지의 소비처를 안정적으로 구축하려는 계획도 가지고 있다.

참여 농가에 대해선 양돈 비용을 낮출 수 있는 공익적 서비스를 제공하고 있으며, 한편으로는 돼지와 관련된 새로운 비즈니스 모델을 개발함으로써 수익사업을 동시에 추진하고 있다. 수익사업을 통해 얻어지는 이익금 중 일부는 참여 농가에게 배당금으로도 환원되고 있다.

마블로즈 체험장

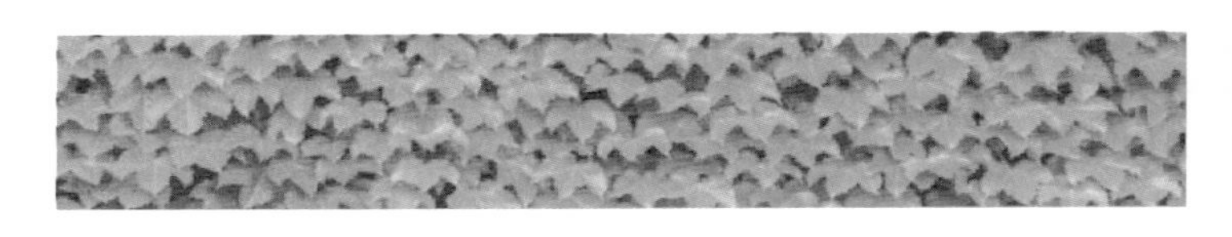

제천시 약채락

충북 제천은 점차 한방과 참살이(웰빙)에 대한 관심이 높아지는 시대적 흐름에 맞춰 중부지방 최대의 한약재 집산지인 제천의 약초를 홍보하고 차별화하기 위하여 제천 한방 건강 축제, 국제 한방 바이오 엑스포를 개최하고 있다.

상대적으로 먹을거리가 부족했던 제천시는 지역의 특색 있는 향토음식을 개발하고 이를 특성화하기 위하여 약초를 첨가한 건강 비빔밥을 만들어 약채락이라고 브렌드화하였다. 제천시청의 주관아래 메뉴를 만들어 약채락을 팔 식당들을 공모하여 5개 업체를 선정하여 메뉴를 전수하였다. 현재는 9개의 가맹식당이 영업 중이다.

약채락은 제천에서 생산된 약초 중에서 우수 농산물로 인증된 제천 황기, 오가피, 뽕잎 등의 약초를 첨가한 건강 비빔밥이다.

약채락 메뉴

황기는 제천을 대표하는 한약재로서 우리나라 황기 생산량 중 약 70%가 생산된다. 황기는 뿌리만 약재로 사용하고, 잎은 버렸는데, 비빔밥의 재료로 활용됨으로써 또 다른 소득원이 되어 폐기물을 줄여 환경도 보호하고, 소득도 증대하는 일석이조가 되었다.

약채락은 제천을 찾는 관광객들이 건강을 위해서 꼭 찾는 향토음식이 되었다. 이로 인해서 지역 농산물의 소비를 늘리고, 관내 외식업체도 수입이 증대하게 되었다.

현재 가맹식당에 찾아오는 손님들을 보면 평일에는 관광객 7 : 지역민 3이고, 주말에는 반대로 지역민 7 : 관광객 3의 이용 형태를 보여 주말보다는 평일에 관광객이 더 많이 방문하는 것으로 추정되고 있다.

가맹점의 난립을 막기 위해 공공기관에서 메뉴 및 가격 등에 대한 통제 및 관리가 꾸준히 이어지고 있다. 가맹점 자체 전략회의가 한 달에 1회 정도 이루어지고 있고, 신규 가맹점에 대해서는 자체심사 기준에 따라 선정하고 최종 공공기관에서 승인하는 형태로 진행되고 있다.

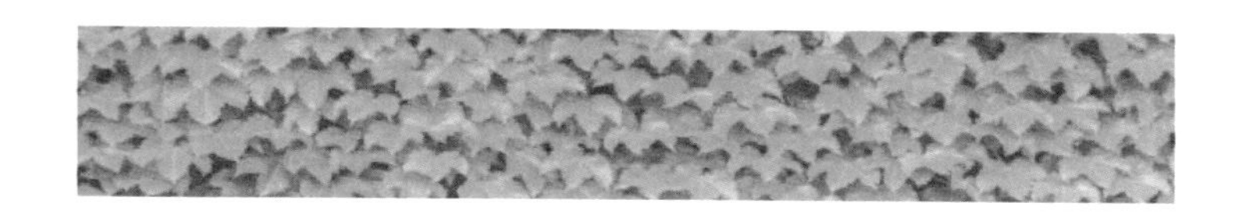

보성군 보향 다원

전라남도 보성군은 다양한 한국 전통문화의 고장이며, 한국 차 문화의 본고장이다. 보성읍에 위치한 보향 다원은 1937년부터 땅을 개간하여 2만 평의 땅에 각종 과일나무와 차나무를 심어 80년의 역사를 가지고 있다.

보향 다원 전경

보향 다원의 차가 유명한 것은 농약과 화학 비료는 물론이고 제초제와 가축 분뇨도 쓰지 않아 국내 최초로 국내 유기농산물 인증과 국제인증 미국 일본 유럽을 받았으며, 친환경 인증을 받았다. 농약을 쓰지 않아 생산량이 20%~30%밖에 되지 않지만 안전한 먹거리를 제공하겠다는 철학을 유지하고 있다.

2009년 세계 최초로 금(金) 용액을 보관하여 황금차를 개발하는 데 성공하였고, 황금차는 보향다원을 상징하는 세계적인 대표 차 브랜드로 성장하기 시작했다. 2015년 12월에는 농업 소득 증대 및 산업발전 유공으로 인한 대통령 표창을 받았다.

보향 다원은 매년 2만여 명의 사람들이 찾고 있는 관광코스가 되어, 다원을 찾는 관광객들에게 하룻밤을 넉넉히 지내며 차 체험을 할 수 있도록 다원 내 펜션을 운영하고 있다.

보향 다원은 1차 농산물은 찻잎 생산을 하고 있으며, 2차 가공품은 금차, 쑥차, 녹차, 홍차가 있으며 3차산업으로는 차 만들기 체험, 음식만들기 체험, 문화 예절 체험을 하고 있다.

보향 금차

고흥군 에덴 식품

전라남도 고흥군은 고흥반도와 유인도 23개, 무인도 207개로 이루어져 있다. 영농 조합법인 에덴 식품은 두원면에 위치하고 있다. 고흥군의 특산물은 삼지닥나무, 취나물, 유자, 김, 미역, 톳 등이 있으며, 피조개·키조개 등 각종 조개류가 양식되고 있다. 특히 유자는 고흥의 특산물로 군의 전지역에서 많은 양이 생산되고 있다.

에덴 식품은 에덴 농원에서 1991년부터 유자를 재배하면서 생산된 유자를 가공하는 회사로 시작하였다. 나중에는 석류 재배도 추가하였다.

에덴 식품의 유자와 석류는 온난한 기후와 알

맞은 해풍 등 지리적 영향으로 상큼한 향과 맛이 뛰어나 소비자로부터 인기를 얻고 있다.

에덴 식품에서 만든 유자와 석류 제품들은 웰빙 시대에 맞추어 무농약 유자와 석류를 사용하고, 유기농 설탕 원료만 고집하여 만들고 있다.

에덴 식품의 위생적인 생산 공정

전국 최초 친환경유기가공식품 인증을 받았으며, 2010년에는 석류 소득 왕으로 농림식품부의 상을 받기도 하였다. 에덴 식품은 할랄 인증까지 득하여 해외 수출의 가능성을 두고 추진하고 있다.

에덴 식품은 1차산업으로는 유자와 석류 재배로 농산물을 생산하고 있다. 농산물을 천연 미생물 재제와 친환경 자제 등을 이용하여 유기농 무농약 재배를 하고 있다.

에덴 농장의 유자차

에덴 농장에서 자체 재배한 원료를 사용하면서 지역의 25 농가로부터 유기농 석류 18톤을 납품받아 가공하고 있으며, 무농약 유자는 300톤을 고흥 유자 연합회로부터 납품받아 사용하고 있다.

2차산업으로는 유자와 석류로 액상차, 과채, 음료, 분말류, 초콜렛 가공품 등 다양한 제품군을 개발하고 있다.

3차산업으로는 15만 소비자 회원에게 볼거리와 체험 거리, 놀 거리, 즐길 거리를 만들어 매년 친환경을 갈망하는 소비자 단체의 방문으로 농산물 수확 체험 따기 체험, 가공식품 차 만들기 초콜렛 만들기, 공산품 천연 비누 만들기, 농장 견학 체험, 농장 둘레 길, 농장 견학, 가공시설 견학 등을 실시하고 있다.

나주시 명하 햇골

전라남도 나주시 문평면은 노령산맥의 지맥이 대부분을 차지하는 산간지대로 메론·딸기·포도 등 고소득 작목으로 전환하고 있으며 산지가 많아 목재 생산도 많은 지역이다.

사회적 기업인 ㈜명하 햇골은 문평면 북동리는 39가구가 사는 작은 산골마을에 위치하고 있다. 북동리는 과거에 쪽 염색을 생업으로 삼는 집이 많았으나 1950년 이후 그 맥이 끊겼다. 1974년 일본에서 들여온 쪽 씨앗을 발아시켜 다시 재배하면서 전통을 살리려는 마을주민들이 2012년 명하 햇골을 설립해 2014년 사회

적기업 인증을 받았다. '

㈜명하 햇골은 쪽을 이용하여 천연 염색하여 의류, 악세서리, 비누 등의 20여 종을 다품종 소량 주문 생산을 통해 판매하고 있다. 쪽 재배부터 쪽으로 염색한 천을 활용해 옷과 가방, 열쇠고리, 지갑 등 다양한 제품 만들기, 체험 프로그램, 축제 등 모든 과정이 주민들과 함께 이루어지고 수익도 골고루 나눈다.

㈜명하 햇골의 1차산업은 마을 쪽 작목반이 있어 쪽 재배 및 생산을 하고 있다. 2차산업은 생산된 쪽을 천연 염색으로 제품 생산과 판매를 하고 있다. 3차산업은 천연 쪽 염색 교육 및 체험으로 초등학교 방과 후 학습 일반인 대상 체험 및 교육 등 다양하게 진행되고 있다. 또한 농촌 정취를 느낄 수 있는 한옥 숙박과 웰빙 밥상 개발을 하여 마을 어르신들이 함께 참여하고 있다.

2008년에는 농촌진흥청 농촌체험교육농장으로 지정받았으며, 2009년에는 농촌관광 테마마을, 2010년에는 농촌체험휴양마을로 지정되면서 이 마을을 찾는 사람들이 해마다 늘어났다.

2005년에 나주시에 천연 염색 문화관을 준공하고 천연 염색 문화 재단이 설립되었으며 2010~2011년에는 지식 경제부 지역 연고 산업 육성 사업인 '천연 염색 전문 인력양성'에 참여를 하였다.

명하 햇골 천연 염색 악세서리

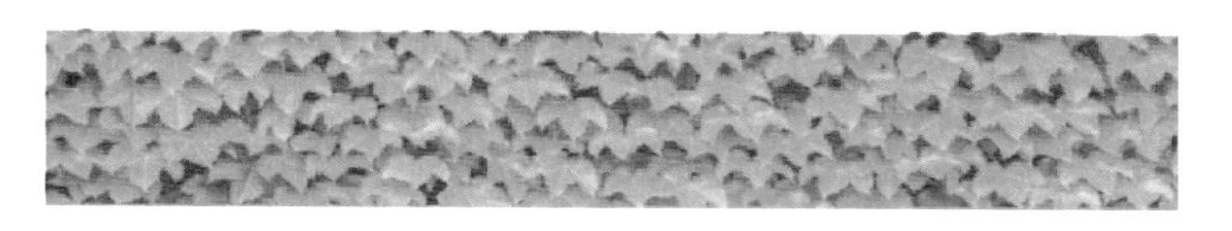

완주의 로컬푸드

우리나라에서 최초로 완주군에서 로컬푸드를 시작하였다. 이로 인하여 우리나라 전국에서 직매장에 대한 실천적 관심이 이슈화되고 있다.

2010년 관내 6개 농협조합장 회의에서 완주 군수가 처음으로 이 사업에 대해 제안했을 때만 해도 모든 농협이 부정적으로 생각하였다고 한다. 하지만 그 이후 용진농협에서 완주군과 전라북도, 농협중앙회 등의 지원을 받아 본격적으로 사업을 진행하게 되었다.

완주 로컬푸드 센터에서는 농가가 납품한 제품의 품질은 물론이고 가격도 점검한다. 품질이

나쁘거나 가격이 너무 비싸게 책정된 농산물의 경우에는 농가에 연락한 후 바로 매장에서 철수시킨다. 3진 아웃제 등을 통해 성실하지 않은 농가의 농산물은 취급하지 않는다.

완주군의 200여 농가와 마을공동체가 매일 새벽 수확한 신선한 농산물을 직접 소포장해 매장에 마련된 자기 매장에 공급하고 있다. 각자의 판단으로 가격을 매기고 바코딩도 직접 하고 있다. 포장 및 바코드 부착 등에 서툰 경우에는 직원이 도와주기도 한다.

또한 생산자들은 자신의 농산물 품질에 자신이 있기 때문에 소비자들이 농산물의 이력을 알 수 있게 생산자의 연락처를 적어 소비자의 신뢰를 얻고 있다. 생산자는 자신의 상품이 얼마나 팔렸는지를 핸드폰을 통해 확인가능하다. 또한 물건이 떨어졌을 경우에는 되도록 빠른 시간 내에 물건을 보충하도록 한다. 팔리고 남은 농산물은 농가가 회수해 폐기하는 1일 유통원칙을 지켜

나가고 있다.

사업 준비단계에서 참여 농가 확보에 많은 어려움을 겪었다. 하지만 사업 시행 후 초기 60여 농가에서 현재 200여 농가로 증가했다. 현재는 참여의사가 있는 농가가 더욱 많아져 일정기간 교육을 이수한 자에게 한에서 참여 기회를 부여하는 방법을 모색하고 있다.

용진면에 로컬푸드 직매장이 오픈하기 전 면소재지에는 여느 시골과 같이 외부 사람이 거의 오지 않는 한적한 시골 면소재지였다. 현재는 많은 사람이 왕래함으로써 지역의 새로운 거점지역으로 바뀌고 있다. 중소농들의 농산물과 마을공동체 사업을 통해 생산되는 생산품은 일정한 수익을 내며 지속적으로 판매하는 것은 쉬운 일이 아니다. 하지만 로컬푸드 직매장을 통해 판매에 대한 우려를 잠재우고, 각자의 농산물에 더 많은 열성을 쏟도록 하고 있다.

완주 로컬푸드

제6부

6차산업의 성공전략

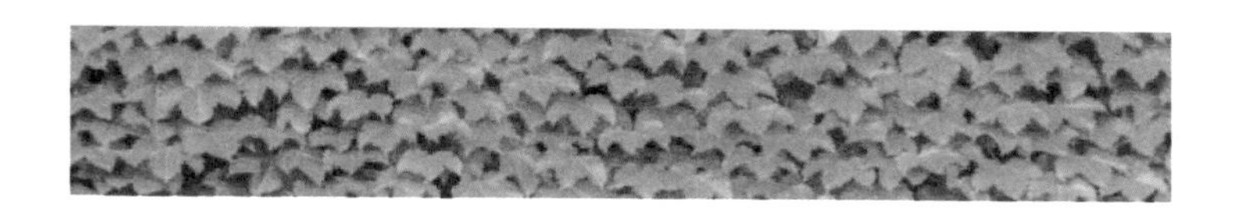

체험관광

1) 체험관광의 정의

체험관광이란 관광하는 동안 사람들이 관광대상지의 지역사회나 자연환경에서 물리적·추상적 사물이나 현상들과 직접적 접촉을 통해 오감으로 자극을 받아 인지적 판단이나 정서적 느낌을 받는 것을 말한다.

관광산업은 6차산업의 일련의 경제활동에서 3차 산업으로 분류되지만, 6차산업화 지역 내의 경제활동에서 그 역할을 생각하면 생산, 제조, 판매, 유통 등 모든 단계를 활용하여 관광체험 상품으로 전개하는 것이 가능하며, 지역에서 생산된 농수산물을 활용한 관광체험형 산업은 6차산업화의 중요한 사업으로 자리잡고 있다.

2) 체험관광의 현실

현재 6차산업을 진행하는 곳에서는 3차산업으로 가장 많이 하는 것이 체험관광이다. 체험관광 1단계는 가장 쉬운 방법으로 기존에 농장 주변의 자연환경이나, 농장의 자원들을 견학하는 방법이 있으며, 2단계는 능동적으로 참여하는 방법으로 농장에서 생산되는 생산물을 제조하거나 생산물을 가지고 가공하는 체험학습을 하는 것이고, 3단계는 관광객들을 위한 축제나 행사를 진행해서 체험하게 하는 것이다.

6차산업에서 가장 고부가치를 얻을 수 있는 것이 3차산업이다. 따라서 6차산업을 추진하는 모든 농장에서는 체험학습을 진행하거나 하려고 한다. 그러나 문제는 프로그램이 다른 곳에서 이미 체험하거나 할 수 있는 경우도 많고, 프로그램이 부실해서 체험관광이 제대로 가치를 발휘하지 못하는 경우가 많다. 따라서 체험관광을 제대로 만든다면 많은 관광객들이 찾아오게 될 것이며, 수익이 증대할 것이다.

3) 체험관광의 프로그램 개발시 고려사항

체험관광이 성공하기 위해서는 소비자의 시각에서 프로그램을 만들어야 한다. 대부분 공급자 입장에서 프로그램을 만들다 보면 소비자 입장에서는 만족스럽지 못할 것이다. 따라서 관광은 서비스 제공 산업이며, 관광객 경험도 서비스에 대한 경험이기 때문에 소비자가 원하는 서비스 질에 초점을 두면서 프로그램을 만드는 것이 중요하다.

소비자들의 흥미와 만족을 얻을 수 있는 프로그램 개발 방법을 보면 다음과 같다.

① 감각(sense)

감각 프로그램은 시각, 청각, 후각, 미각, 촉각이라는 5가지 감각에 호소함으로써 감각적 자극을 통해 미학적 즐거움, 흥분, 아름다움, 만족감 등을 제공하는 것을 목적으로 하고 있다.

감각적 체험은 감각적 자극으로 제품을 차별화시키고, 자극의 방법 즉 과정으로 고객에 동기를 부여하고 그 결과가 구매로 이어진다.

소비자들은 이미 알고 있는 관련 정보를 바탕으로 평범한 것보다 '생생하고', '뚜렷한' 자극에 더 많은 흥미를 갖게 된다.

예를 들면 체험장에 사용된 색상, 슬로건, 조명, 구조, 종업원의 서비스, 생산물의 냄새와 맛 등이 관광객들의 감각을 자극하게 된다.

체험관광에 있어서 감각요인은 아름다운 지역 전체나 농원 등의 자연풍경, 깨끗한 공기, 기분

좋아지게 하는 향, 농산물 수확이나 가공을 통해 느끼는 촉감, 새와 같은 생물이나 바람과 같은 자연의 소리, 지역 음식의 맛, 지역 특산품의 패키지 프로그램을 만드는 것이 좋다.

② 감성(feel)

체험으로 고객들이 받을 느낌은 매우 다양하다. 긍정적 기분, 부정적, 만족, 불만족 등이 약한 감정에서부터 강렬한 감정에 이르기까지 그 정도가 다양하다.

정서적 체험을 효과적으로 활용하기 위해서는 사람의 기분이나 감정을 잘 이해해야 한다. 감정은 기본적 감정과 복합적 감정으로 나누어지는데, 기쁨, 분노, 슬픔과 같은 보편적인 기본적 감정에 비해 복합적 감정은 기본적 감정들이 혼합되거나 결합된 감정으로 체험에 의해 유발되는 대부분의 감정들은 복합적 감정이다.

정서는 주로 소비하는 과정에서 발생하는 것으로 가장 강한 감정의 일부는 서비스를 제공받는 상황에서 체험하게 된다.

예를 들면 좋은 프로그램은 만드는 것만이 중요한 것이 아니라 프로그램을 운영하는 운영진들의 소비자를 만족시킬 수 있는 감동을 주면 효과가 매우 크다.

③ 인지(think)

인지의 핵심은 체험에 참여하는 관광객의 창조적 생각을 촉진하는 것이다. 사람들은 보통 확산적 사고와 수렴적 사고라는 2가지 유형으로 사고를 하는데, 창조성은 수렴적 사고와 확산적 사고를 포함한다.

수렴적 사고란 이미 알고 있는 것이나, 단순한 경험을 체험을 하면서 추론하는 것을 말하며, 확산적 사고는 체험을 하면서 많은 아이디어들을 생각해내는 것을 말한다. 따라서 체험 프로그램을 만들 때 단순히 보여주거나, 만들게 하는 것보다는 그러한 행위나 지식을 바탕으로 새로운 생각이 들거나, 명쾌한 결론을 얻을 수 있도록 만들어야 한다.

예를 들어 우유로 치즈를 만드는 체험 프로그램을 진행할 때, 만드는 것에만 집중하게 하는 것이 아니라 우유의 중요성, 우유에 대해서 몰랐던 지식, 우유로 만들 수 있는 것들을 재미있게 알려주어서 이러한 정보를 바탕으로 새로운 생각을 추론하거나, 우유의 소중함을 알게 하는 것이 중요하다.

체험관광에 있어서 인지 요인은 관광체험을 통해 참가자의 창조적인 사고를 유도함으로써 생산물의 소중함, 학습의 가치, 농어촌자원의 가치 등을 가질 수 있도록 프로그램을 만들어야 한다.

④ 행동(act)

행동요인은 소비자 신체에 관련되었거나 다른 사람과의 상호작용 결과로 발생하는 체험을 말한다. 즉 행동적인 마케팅은 육체적 체험을 통해 정서를 강화하는 효과를 가져온다.

따라서 체험 프로그램은 이론적으로 하기보다는 실질적으로 실습을 통해서 행동으로 옮길 수 있도록 프로그램을 만들어야 한다.

예를 들면 농수산물 수확, 제조체험, 가공품 구매, 농가 레스토랑에서의 식사, 농촌숙박 등의 육체적 체험에 대해서 만족감을 주도록 해야 한다.

⑤ 관계(relate)

관계란 다른 사람, 다른 사회집단, 국가, 사회, 문화와 같은 포괄적이고 추상적인 사회적 실체와의 연결을 의미한다. 체험관광에 있어서 관계요인은 관광체험을 통해 같이 체험하는 사람들과의 관계 또는 지역 및 지역주민과의 관계에 있어서 동일시, 교감, 유대감 등의 형성하게 되는 체험요소로 이해할 수 있을 것이다.

관계요소는 프로그램을 진행할 때 개인적 자아를 가족이나, 지역사회, 국가 등과 연계시킴으로써 개인의 사적인 감각, 감정, 인지, 행동을 넘는 확장 개념이다.

예를 들어 소비자가 다른 소비자와 연결되어 있다는 느낌을 갖게 되면 준거집단과의 동일시하게 되며, 다른 구매를 하는 소비자가 있다면 그들처럼 구매하게 한다.

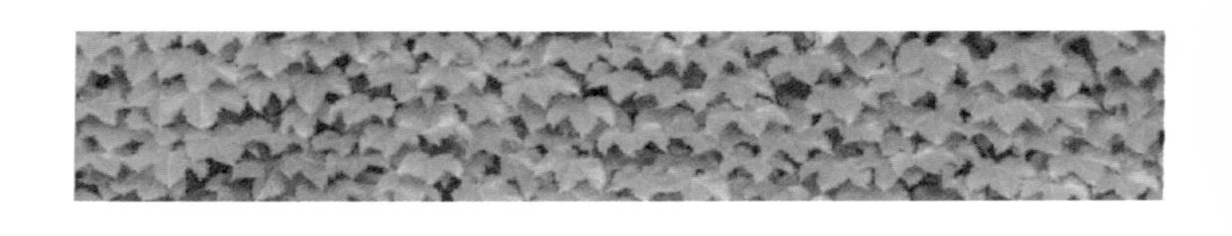

스토리텔링

요즘 스토리텔링이 확산되어 음식이나 관광지에 대한 효과적인 정보 전달 수단으로 활용되고 있다. 그리고 흥미있는 이야기를 가미한 지역축제 등의 해설, 영상 홍보물 제작 등에 주로 활용되어 생산물과 관광의 가치를 증가시키고 있다. 스토리텔링은 효과적인 커뮤니케이션의 수단으로 활용되고 있으며, 공감 반응을 일으키게 되면 몰입하게 하는 효과가 있다.

1) 스토리텔링의 정의

스토리텔링은 상대방에게 알리고자 하는 바를

재미있고 생생한 이야기로 설득력 있게 전달하는 것을 말한다. 스토리텔링은 기존에 존재하고 있는 이야기를 있는 그대로 전달하는 것을 넘어서서, 기존의 이야기를 새롭게 묘사하거나 창작성을 가미하여 전달하는 것까지를 포함한다.

미래학자 롤프 옌센은 정보화 시대가 지나면 소비자에게 꿈과 감성을 제공하는 것이 차별화의 핵심이 되는 드림 소사이어티(Dream Society)가 도래할 것이라고 말한다. 미래에는 이야기와 꿈이 부가가치를 만들며 이를 통해 새로운 시장이 형성된다는 것이다.

6차산업의 부가가치를 높이기 위해서는 있는 그대로 마케팅을 하는 것이 아니라 스토리텔링을 통해서 그 가치를 높이면 같은 상품이라도 고부가가치가 될 수 있다. 특히 관광 스토리텔링은 관광지(대상)의 장소성이 가지고 있는 고유의 가치나 의미를 해석 혹은 가공하여 관광자원의 가치를 창조하거나 증대하고 궁극적 많은 관광객의 방문을 가져오게 한다.

예를 들어 제주의 향토 이미지 기업인 "솔트스톤"은 획일화 된 단순 커피시장에 제주를 담은 이야기로 송기석 대표의 의해 기획, 스토리텔링을 만들어 획기적인 방향을 불러 일으키고 있다. "제주돌이 소금을 만들고 그 소금이 바닷물이 되어 제주가 되었다"라는 창의적인 스토리텔링은 제주를 찾는 모든 사람들이 꼭 찾아보는 관광 명소가 되었다.

따라서 소비자들의 욕구를 충족시켜 주거나, 흥미를 자극할 수 있는 스토리텔링을 하게 되면 관광객들이 늘게 되어 다양한 효과를 가져다 준다.

2) 스토리텔링의 효과

현대인들은 쏟아지는 뉴스와 정보가 범람하고

있기 때문에 객관적 사실이나 사건의 객관적인 전달보다는, 감성을 자극할 수 있는 스토리를 더욱 좋아한다는 것이다. 따라서 스토리텔링을 하게 되면 다음과 같은 효과가 생긴다.

① 스토리텔링을 통하여 자신의 감정을 자극받고, 공감을 형성하게 되면 소비로 이어진다. 따라서 스토리텔링을 하게 되면 소득 증대가 된다.

② 흥미 있는 이야기가 담긴 상품은 단순히 우수한 농산물이나 가공식품보다 더욱 매력적일 수 있기 때문이다.

소비자의 마음을 읽고 그들이 꿈꾸는 바를 흥미 있는 이야기를 통해 부드럽게 풀어가면 고객은 감동하게 되고, 찾는 소비자들이 많아지게 되어, 관광객들을 찾아오게 하며, 소득을 증대하게 한다.

③ 스토리텔링은 상품 차별화에 매우 유용하다. 다양한 농산물이 범람하고 있는 상황에서 자신

의 농산물만의 차별화하기 쉽지 않다. 따라서 스토리텔링을 하게 되면 자신의 생산물을 차별화하여 매출 증대를 가져올 수 있다.

2) 스토리텔링의 성공전략

소비자의 구매 요인이 생산품의 품질 중심에서 감성 중심으로 이동함에 따라 스토리텔링 마케팅의 중요성이 과거보다 더욱 부각되고 있다. 이야기는 소비자들이 브랜드를 이해하고 호감을 갖게 만드는 감성적인 설득의 힘을 가지고 있기 때문이다. 마케팅의 기본원리를 고려한 스토리텔링 마케팅의 성공적인 전략을 다음과 같다.

① 독창성

소비자들은 뻔한 스토리에는 싫증을 느끼기

때문에 무언가 다른 것과 다른 스토리를 만들어야 하는데 여기에서 독창성이 있어야 한다. 독창성은 모방이나 파생에 의한 것이 아니라 자기의 개성과 고유의 능력에 의해 가치를 새롭게 창조하는 것을 말한다.

독창성을 갖기 위해서는 그 지역의 특정 장소와 연결되어 전해 내려오는 설화, 역사 등을 스토리에 가미하는 것이 좋다.

예를 들어 여수시에서는 조선시대 이순신 장군이 전라좌수사로 근무하던 곳이기 때문에 이러한 역사적 사실을 근거로 하여 이순신 장군 밥상을 만들어 인기를 끌고 있다.

② 재미성

스토리텔링에서의 스토리는 사실인지의 여부보다는 얼마나 듣는이가 흥미를 유발할 수 있는

지, 재미가 있는지가 중요하다. 그렇기 때문에 스토리를 만드는데 있어서 재미와 흥미를 위해서 기존의 이야기나 사실을 부풀리거나, 허구적인 이야기를 재탄생시키기도 한다.

예를 들어 장성군에서는 홍길동전이라는 고전소설을 주제로 하여 홍길동 테마파크를 만들고, 스토리텔링을 하고 있다.

③ 포장성

포장은 물건을 싸거나 꾸려서 가치를 높이는 것을 말한다. 한가지 사물을 설명할 때 어떻게 설명하느냐에 따라 결과는 매우 달라진다. 따라서 스토리텔링을 성공시키기 위해서는 묘사를 잘해야 한다.

관광지에서 관광대상이 가지고 있는 사실을 있는 그대로 설명하는 것이 아니라, 특징적인 면을 재해석하고 가공, 묘사하여 관광객의 관심을 유도할 수 있도록 하는 것은 관광대상의 가치를 높이는데 매우 중요하다.

예를 들면 어느 관광지에 갔는데 경치나 유물은 똑같지만 가이드의 설명이 어떠냐에 따라서 그냥 보고 온 것으로 만족하기도 하지만, 감동을 받아서 마음속에서 그리워하게 된 경우가 있을 것이다. 이처럼 장소에 대한 감각적 묘사는 감성을 유발하여 잠재 관광객을 유인하는 강력한 수단이 되고 있다.

④ 은유성

은유는 표현하고자 하는 대상을 다른 대상에 비겨서 표현하는 것을 말한다. 은유는 논쟁의 여지가 많은 사실을 단순화할 뿐만 아니라 새로운 해석을 불러일으킬 수있는 가능성을 제공하고, 자연스럽게 다른 것과 비교를 함으로서 마음의 문을 여는데 도움이 된다.

스토리텔링을 만드는데 은유적 표현을 활용하면 흥미와 호기심 그리고 창의적 상상력을 유발하며 메시지의 전달에 효과적이다. 은유는 직접적으로 말하는 것이 아니라 비논리적인 성격을 갖고 있지만 전달하는 내용의 핵심이 무엇인지를 명확하게 해주고 강조할 수 있는 효과가 있기 때문에 효과가 있다. 특히 상품이나 지역에 대하여 직접적인 자랑이나 칭찬을 하게 되면 오히려 소비자들은 경계를 하게 된다. 그러나 은유를 하면 주제를 더욱 부각시키거나 강렬한 느낌과 상상력을 부여하는 수단이 된다.

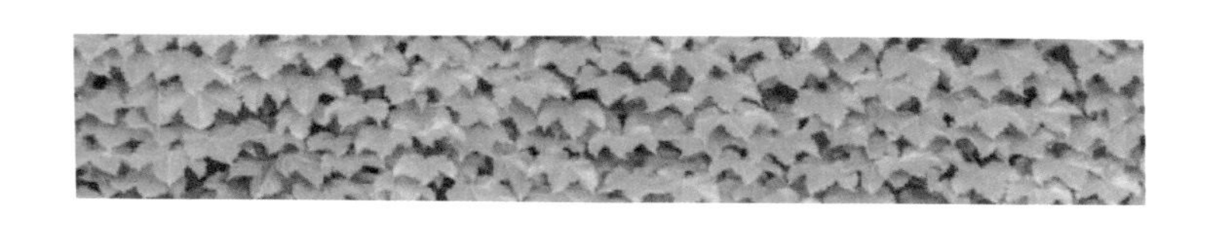

향토음식

1) 향토음식의 정의

향토음식은 지방의 특산품이나 특유의 조리법 등을 이용하여 만든 그 지역의 전통음식을 말한다. 즉 그 지방에서 생산되는 재료로, 그 지방의 조리법으로 만들어, 그 지방 사람들이 즐겨 먹고 있는 음식이라고 할 수 있다. 깊은 역사전 전통을 가지고 있는 김치와 같은 전통음식 개념보다 좁은 개념이다.

각 지방의 향토음식은 1900년 중반까지는 고유한 특색이 있었으나, 점차 산업과 교통이 발달하여 다른 지방과의 왕래와 교역이 많아지고,

물적 교류와 인적 교류가 늘어나서 한 지방의 산물이나 식품이 전국 곳곳으로 퍼지게 되고, 조리 방법도 널리 알려지게 되었다.

2) 외식산업 현황

근대화 과정을 거치면서 식생활패턴이 변화하면서 외식 수요가 증가하였고 산업 규모로 성장하였다. 외식의 산업화 주요요인은 소득증가에 따른 구매력의 다양화, 핵가족화 구조변화에 의한 외식비용 증가, 도시생활 발전과 식생활 변화, 국제 교류 활성화에 기인한 다양한 음식문화 기회 증가 등이 산업화를 촉진하였다.

외식산업이 식품 소비의 절반을 차지하게 되면서, 2차와 3차산업 영역이 1차산업 부문보다 오히려 더 큰 비중을 차지하게 있다. 이에 따라 식품제조업과 외식산업 등 식품산업이 크게 성장하고 있다. 따라서 6차산업에서 고수익을 얻기 위해서는 외식산업을 도입하는 것도 바람직한 일이다. 그러나 외식산업은 이미 포화되어서 특별한 메뉴를 갖지 않고는 큰 성공을 얻기 어렵다.

외식산업에서 성공하기 위해서는 먼저 소비자들의 소비형태나 소비 트렌드를 알고 시장에 대처해야 한다.

최근 소비 트렌드 조사를 보면 세상의 변화에 따라 소비자들의 소비형태에 많은 변화가 있다. 요즘의 소비자들은 공유, 웰빙, 실속, 경험, 현재 중심의 소비가 주류를 형성하고 있다.

소비자와 직접적인 대면을 통해 서비스가 이루어지는 외식산업를 성공시키기 위해서는 소비자들의 소비 트렌드에 대한 면밀한 검토와 대처가 매우 중요하다. 대표적으로 스타벅스는 고객과의 정서적 교감과 경험을 강화한 전략을 바탕으로 세계적으로 성공적인 성장을 이끈 사례로

항상 꼽히고 있다.

<표 6-1> 가치 소비행태 특징

소비행태	내용
공유형	재화를 소유하는 소비에서 공유하는 소비로 비용 절감 및 빠른 소비 트렌드 변화에 맞춰 대여 및 중고 시장 등을 활용의 증가
웰빙형	인구구조의 소형화 및 기대수명 증가로 건강을 고려하는 소비행태의 심화로 건강식, 헬스케어 시장의 소비 확대
실속형	개인에게 필요한 기능성 상품을 선호하는 소비 현상으로 품질 비교 시 개인이 원하는 기능을 중심으로 가격 대비 효용을 고려한 소비행태
경험형	소비활동 자체에서 만족을 느끼는 현상으로 직접 체험하는 과정을 통해 소비 욕구 및 만족도를 느끼는 현상
현재형	미래보다 현재 기준의 행복과 만족에 더 큰 가치를 두는 소비행태

출처: 현대경제연구원(2018). 2018년 국내 10대 트렌드

한국외식산업연구원(2017)이 '17년의 경제, 사회문화, 기술 등 거시적 환경분석을 통해 '18년 외식트렌드로 가심비, 빅블러(Big Blur), 반외식문화, 단품화를 제시하였다.

① 가심비

가심비는 외식 소비의 심리가 경기불황의 장기화로 인해 가격적 측면에서 만족되었던 과거와는 다르게 가성비에 심리적 만족도가 충족되어 개인화된 소비패턴에서 스스로를 위한 지출에는 과감히 투자하는 소비 트렌드로 변하고 있다. 이는 외식업에도 개인화, 고객화 등을 통한 마케팅 코드가 중요할 것으로 내다보고 있다.

② 빅블러

사회 환경이 디지털 기술의 보편화로 인해 변

화의 속도가 빨라지면서 이종 산업 간 융합이 활발해져 외식업계에도 다양한 기술을 활용한 변화가 촉구됨을 의미한다.

③ 반외식 문화

요즘 반조리 음식, 포장음식, 배달 관련 시장이 빠르게 성장하고 있다. 특색 있는 단품 메뉴에 집중한 메뉴의 전문화가 외식 시 맛에 대한 중요성이 소비자가 가장 우선적으로 고려하고 있다. 따라서 농장에서 외식산업을 할 경우에는 포장음식의 판매나 집에서 쉽게 조리할 수 있도록 반조리 음식을 판매하는 것이 좋다.

④ 단품화

1인 가구가 급히 성장하면서 소비 패턴이 복잡한 요리보다는 단순화된 요리, 양이 많은 것보다는 반찬이 적은 소형화, 여러 가지를 파는 것보다는 전문화된 식당을 찾는다. 따라서 농장에서 외식산업을 할 경우에는 간단하고, 반찬을 줄이며, 전문 식당으로 승부를 걸어야 한다.

<표 6-2> 2018년 외식트렌드 주요 키워드

트랜드	정의
가심비	가격대비 주관적인 심리적 만족감이 중시되어 외식 경기 불황에 따라 가성비가 중요한 소비 행태에 심리적 만족이 중요시되는 경향
빅블러	혁신적 기술의 등장(IoT, 인공지능 등)으로 전통적 외식산업 경계가 허물어지고 있는 경향
반외식 문화	반외식은 음식을 포장· 배달하여 완제품으로 가정에서 식사를 하는 등의 외식의 내식화를 의미
단품화	단순화, 소형화, 전문화로 경쟁력을 갖춰 소비자에게 차별화된 매력으로 소구하여 대기업 프랜차이즈나 브랜드보다 오히려 인기를 끄는 현상

출처: 농식부·한국농수산식품유통공사(2017). 2018 외식산업·소비트랜드

3) 향토음식을 만들 때 고려사항

1) 공간성

향토음식은 그 지역 외에 다른 곳에서는 똑같은 맛을 볼 수 없는 특징이 있다. 그러므로 그 음식 맛을 보기 위해 식도락가들이 찾게 하여 지역경제를 활성화하게 된다. 예를 들어 포천의 이동갈비, 여수의 갓김치처럼 공간적 환경을 이루는 지리적 조건, 기후, 풍토가 타지방과 다르기 때문에 차별화된 음식이 생기게 된다.

2) 고유성

향토음식은 어디에나 있는 흔한 재료를 사용하더라도 그 지방에서만 전수되는 고유한 비법이나, 지역적 특성이 반영된 특유의 조리법으로 만든다. 예를 들어 전국 어디에서나 구입할 수 있는 고등어를 가지고 내륙 지방인 안동에서 만든 간고등어, 김을 가지고 만든 광천김 등이 있다.

3) 의례성

향토음식은 그 지방 사람들의 사고방식과 생활방식에 따른 문화적 행사나 의식을 바탕으로 전해져 오는 음식이다. 예를 들어 안동의 헛제사밥(제사 때 먹는 음식으로 고추장 대신 간장과 함께 비벼먹는 비빔밥), 경상도의 돔배기산적(뼈를 발라낸 상어고기를 꼬치에 꿰어 기름에 지져내 경사나 제사 등 집안에 큰일이 있을 때 반드시 올리는 별미음식) 등이 있다.

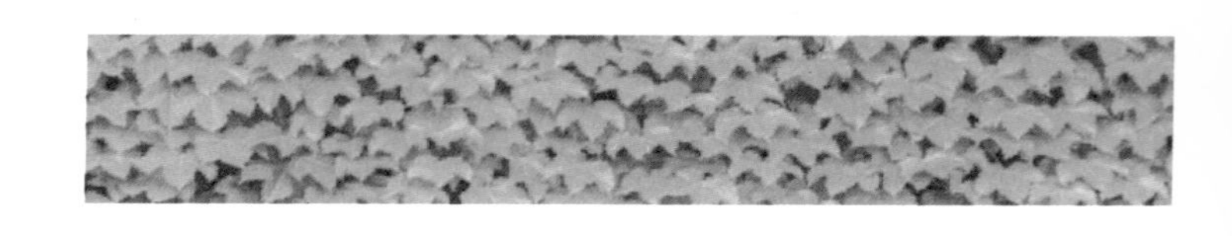

가공식품

최근 국내 농업과 가공식품 산업의 연계강화로 농업의 2·3차산업화를 통해 농업소득을 향상시키고 농업 경쟁력을 제고 하기 위한 농정의 주요과제로 제시되고 있다. 이로 인하여 가공식품이 전체 식품산업에서 비중이 점점 커지고 있다. 앞으로도 농촌 소득증대를 위해서는 가공식품에 대한 관심을 가져야 한다.

1) 가공식품의 정의

가공식품은 식품의 원료가 되는 농산물 ·축산물 ·수산물의 특성을 살려 보다 맛있고 먹기 편한 것으로 변형시키는 동시에 저장성을 좋게 한 식품을 말한다.

6차산업에서 2차산업에 해당한다. 1차산업으로 생산된 생산물을 그 자체로 시장에 내다 팔면 가치가 1이라고 할 때, 가공·상품화화한 가공식품은 2배의 가치를 가진다. 예를 들어 유자를 생산된 상태로 팔면 500원에 판매되지만, 유자를 가공하여 유자청이나 유자차를 만들어 팔면 1,000원을 받을 수 있다. 따라서 6차산업으로 인해서 고소득을 얻기 위해서는 가공식품에 대한 관심을 가져야 한다. 뿐만아니라 소비자의 요구에 맞는 가공된 상품을 만들면 부가가치는 엄청 높아진다.

2) 가공식품의 장점

가공식품이 주는 장점을 보면 다음과 같다.

① 농산물의 부각가치를 높여 소득증대가 된다.

② 농산물의 변질을 방지하고 보존성을 제고시킬 수 있다.

③ 수분이 줄고 부피 및 무게가 감소하므로 운임을 절약 할 수 있다.

④ 농산물의 이용도를 다양화하여 과잉된 농산물을 없앨 수 있다.

⑤ 생산에 참여하는 노동시간을 제외하고, 남는 시간에 가공식품을 만들 수 있다.

3) 가공식품의 필요성

농가소득 증대를 위하여 가공식품이 필요한 이유는 다음과 같다.

① 짧은 보관 기간

농산물들은 수확을 하게 되면 영양공급이 제

대로 되지 않고, 광합성 작용을 못하기 때문에 급격하게 상하게 되어 유통기간이 매우 짧다. 따라서 빠른 시간 안에 농산물을 유통시켜서 소비자 손에 가게 되면 문제가 없지만, 유통기간이 길어나면 그만큼 상품이 손상되기 때문에 유통기간이 짧은 농산물일수록 가공식품으로 만드는 것이 좋다.

② 과잉 생산된 농산물의 처리

일반적으로 농산물 공급량이 5% 정도만 초과되어도 시장가격은 20% 하락한다고 알려져 있기 때문에, 공급과잉이 발생하게 되면 농가소득은 떨어질 수밖에 없다. 따라서 과잉 생산된 농산물을 방치하거나 버리기보다는 가공식품을 만들면 부가가치가 더 커질 수 있다.

② 계절적 집중성

농산물은 연중 재배되는 것이 아니라 일정기간에 농산물이 집중 출하하게 된다. 물론 시설

재배를 통하여 연중 생산하는 것도 있지만, 계절적으로 생산에 제한을 받는다. 따라서 농산물이 갑자기 집중적으로 대량 출하하게 되면 당연히 농산물은 시장에서 제값을 받지 못하기 때문에 농가소득이 떨어지게 되고, 안정적 생활이 어렵게 된다. 따라서 소득을 연중 균일하게 하고, 농산물의 계절적 집중성을 탈피하기 위하여 가공식품으로 만들어야 한다.

6차산업 가공식품은 가공이라는 공정을 통해 다음과 같은 이익을 가져온다.

2) 가공식품의 장점

농산물을 가공식품으로 만들려면 먼저 농산물들이 가진 화학적·생물학적· 물리적 성질을 잘 연구하여 여기에 맞는 처리 방법을 찾아야 한다. 이를 통하여 보존 기간을 늘리는 한편, 기존에 없던 새로운 가공식품을 만들거나, 일상에서 자주 사용하는 생활용품을 만들어야 부가가치가 높다.

가공식품은 예전에는 농민 스스로가 담당했지만, 지금은 농산물을 생산하고 나면 경제발전에 따른 농업 구조변화로 인하여 가공·저장·판매는 점점 전문가 집단이나 단체에서 하기 때문에 농업으로 부터 분리되어 비 농업 부문으로 이동하고 있다. 예를 들어 계약농업의 형태로 농산물을 생산하게 되면 가공·저장·유통과정은 농업법인이나 농협 같은 곳에서 대행을 해주고 있다.

<참고 문헌>

김병규(2016). 감각을 디자인하라. 미래의 창

김태곤·허주녕(2011). 농업의 6차산업화와 부가가치 창출방안. 한국농촌경제연구원

권오성(2013).일본 농어업 6차산업화 지원책 및 추진현황. 열린충남 해외 리포트

김용렬·허주녕·이은경(2011).일본 농산어촌 6차산업화 제도 안내. 한국농촌경제연구원

김응규(2013). 일본의 6차산업화펀드 추진 동향. NHERI주간브리프. 농협 경제연구소

김태곤·허주녕(2011). 농업의 6차산업화와 부가가치 창출방안. 한국농촌경제연구원

김태곤·허주녕·양찬영(2013).농업의 6차산업화 개념설정과 창업방법. 농경나눔터 제401호. 한국농촌경제연구원

김태곤·허주녕·양찬영(2013). 농업의 6차산업화 개념설정과 창업방법. 제69호. 한국농촌경제연구원

농림축산식품부(2013). 농업 농촌에 창조를 담은 6차산업화 본격 추진. 농림축산식품부 보도자료

농림축산식품부·한국농수산식품유통공사(2017). 2018 외식산업·소비트랜드

농촌진흥청(2014). 6차산업 유형별 사업매뉴얼. 농촌진흥청

문정현·강인호(2017). 관광 스토리텔링이 매력지각과 만족도에 미치는 영향. 관광연구. 32(2).

박경옥·신문기·류지호(2015). 지역 주민의 지역사회 애착과 관광개발에 대한 태도 연구. 관광레저연구. 27(1).

박시현(2013). 농촌 6차산업화를 위한 농촌관광의 발전 방향. 제66호. 한국 농촌경제연구원

유학열·이영옥(2013). 국내 농업의 6차산업화 사례진단과 과제. 농촌진흥청

이병오(2013). 일본의 농식품 6차산업화 정책현황과 시사점. 농촌진흥청

이상영(2013). 농림축산업의 신성장 동력화와 6차산업화 추진전략. 농촌진흥청

서윤정(2013). 6차산업 융·복합 혁명. HNCOM

전도근(2017). 전직지원의 이론과 실제. 교육과학사

통계청 통계자료

황수철(2013). 농식품 6차산업화의 전망과 과제. 농촌진흥청

현대경제연구원(2018). 2018년 국내 10대 트렌드. 현대경제연구원

송기석

어린 시절 제주에서 자란 저자는 제주 오현고를 졸업하고, 전자공학을 전공하였으며, 한국마사회와 삼성SDS와 제주도청 합작회사인 JS소프텍에 근무하였다.

타고난 예술적 감각에도 전자공 전공이라는 다른 길을 선택함에 부담감을 느껴, 공간의 문화, 기획, 예술, 건축 등 자신의 꿈을 실현하기 위해 처음 기획한 곳은 대한민국 최초의 토탈 뷰티 클러스트(헬스, 스킨케어, 비만, 성장클리닉, 한의원, 골프존) 공간 선사뷰티센터 설립이 그 첫번째 기획 컨텐츠 공간이였다.

그로 인해 뷰티쪽 기획쇼인 미스코리아 제주 심사위원 · 위원장으로 활동하였다.

현재는 중국 물류 사업시작으로 "Culture", "Entertainment", "Play", "Art"가 집약된 "SEOK Culturetainment"를 설립하여 향토 문화 예술 기획 공간인 "솔트스톤"과 플레이 공간인 "석볼링" 대표를 맡아 활동 중이며, 건설시행까지 사업영역을 전반적으로 기획·확장하고 있다. 문화·경제의 일환으로 제주 경제 신문 독자 위원으로 역임 중이다.

저자는 이 시대 젊은이들에게 새로운 젊은 CEO로 영향력있는 인물로 인정받고 있다. 남다른 경영 마인드 철학을 가지고 앞으로 그려낼 새로운 해석의 문화기획 콘텐츠 공간들이 어떻게 그려질지 무한한 기대를 해본다.

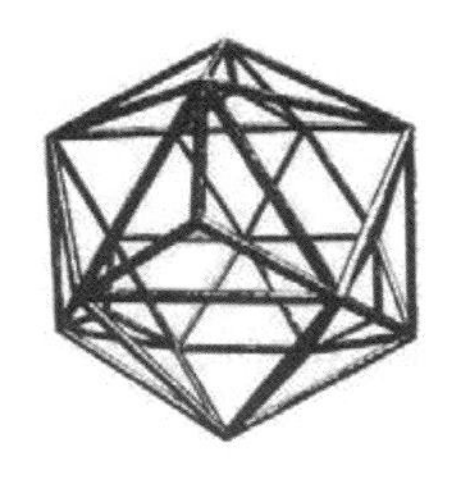

솔트스톤은 제주 커피를 대표하는 제주 향토 이미지 기업으로 그 시작을 알렸다.

제주 돌 염전에서 영감을 얻은 송기석 대표는 제주의 또 다른 스토리를 만들어 내었다.

돌염전에서 발생한 소금이 물을 만나 바닷물이 되었고 지금의 제주를 만들었다는 창의적인 스토리가 솔트스톤 브랜드의 기획의 시작이다.

그 소금을 모태로 한 시그니쳐 메뉴인 제주 현무암을 표현한 "블랙스톤"과 제주 파도을 표현한 "솔트스톤"을 기본 메뉴로 구성하며 앞으로 다양한 메뉴를 선보일 계획이다.

솔트스톤의 첫번째 지점은 소금 육각형 분자 윗부분 형상을 건축으로 외부를 표현!

내부의 가구, 테이블, 조명, 리빙, 또한 송기석 대표가 직접 디자인 스케치 작업하였다.

솔트스톤은 제주 초가집 특유의 안 거리, 밖거리 주거문화 표현을 시작으로, 제주바람으로 돌아가는 바람개비를 형상한 입구의 359도 회전문은 옛 제주인들이 육지로 나아가고 싶은 갈망과 다시 제주로 복귀하고 싶은 귀소본능을 문 하나에 그 의미를 함축해 놓았다.

그리고 카페 중앙의 철제 구로의자는 올레길을 따라 길게 뻗은 돌담을 “구로”라는 철재소재로 표현하였다.

제주의 닥나무 밑에서 제주 아낙네들이 제주

바닷물의 소금 커피를 마시는 모습을 상상하며 제주 여성의 여유롭지 못한 삶을 정반대로 표현하면서, 자신들의 희생한 삶이 있기에 지금의 제주가 풍요롭고 여유로울 수 있다는 감사 표현을 차 한잔에 대접하고 싶은 희망을 담고 있다.

그리고 20m가 넘는 백 년이 넘은 소나무 테이블과 그 위에 땅속 식물들을 위로 장식하여 갑을 관계가 바뀌는 모습을 묘사하여 이곳 소나무 테이블에서 공부하면 성공할 수 있다는 마인드 트레이닝까지 인테리어 속에 메시지를 함축해 놓았다.

솔트스톤은 커피는 물론 홈, 리빙, 원석, 브랜드 런칭까지 사업 확장할 계획이며, 새로운 제주의 소금 바람으로 대한민국에 신선한 바람이 불 것으로 기대해본다.

앞으로 6개 지역에 각각 다른 마크와 또 다

른 건축으로 오픈계획 준비 중이라는 솔트스톤은 제주를 상징하는 제주의 문화를 이야기할 수 있는 진정한 향토 브랜드 기업으로 자리 잡을 것을 기대해본다.

제주

·

문화

·

기획

·

예술

·

공간

·

그리고
6차산업

*
기적을 가져오는 6차산업

*
초판1쇄 - 2019년 9월 20일
*
지은이 - 송 기 석
펴낸이 - 채 주 희
펴낸곳 - 예감출판사
*
경기도 고양시 일산동구 공릉천로 175번길 93-86

출판등록 - 제2015-000130호
*
Tel / 031)962-8008
Fax / 031)962-8889
e-mail / elman1985@hanmail.net
*
잘못된 책은 바꾸어 드립니다.
무단복제를 금합니다.
*
값 : 12,000원